O QUE É VIDA?
O ASPECTO FÍSICO DA CÉLULA VIVA

SEGUIDO DE
MENTE E MATÉRIA
E
FRAGMENTOS AUTOBIOGRÁFICOS

FUNDAÇÃO EDITORA DA UNESP

Presidente do Conselho Curador
Mário Sérgio Vasconcelos
Diretor-Presidente
Jézio Hernani Bomfim Gutierre
Superintendente Administrativo e Financeiro
William de Souza Agostinho
Conselho Editorial Acadêmico
Danilo Rothberg
Luis Fernando Ayerbe
Marcelo Takeshi Yamashita
Maria Cristina Pereira Lima
Milton Terumitsu Sogabe
Newton La Scala Júnior
Pedro Angelo Pagni
Renata Junqueira de Souza
Sandra Aparecida Ferreira
Valéria dos Santos Guimarães
Editores-Assistentes
Anderson Nobara
Leandro Rodrigues

ERWIN SCHRÖDINGER

O QUE É VIDA?
O ASPECTO FÍSICO DA CÉLULA VIVA

SEGUIDO DE
MENTE E MATÉRIA
E
FRAGMENTOS AUTOBIOGRÁFICOS

Tradução de
Jesus de Paula Assis
Vera Yukie Kuwajima de Paula Assis

Syndicate of the Press of the University of Cambridge.
Título original em inglês: *What is Life?* with
Mind and Matter with *Autobiographical Sketches*.
Copyright © 1992 by Cambridge University Press.

Copyright © 1977 da tradução brasileira:
Fundação Editora da Unesp (FEU)
Praça da Sé, 108
01001-900 – São Paulo – SP
Tel.: (0xx11) 3242-7171
Fax: (0xx11) 3242-7172
www.editoraunesp.com.br
www.livrariaunesp.com.br
atendimento.editora@unesp.br

Dados Internacionais de Catalogação na Publicação (CIP)
(Câmara Brasileira do Livro, SP, Brasil)

Schrödinger, Erwin, 1887-1961.
   O que é vida? O aspecto físico da célula viva seguido de *Mente e matéria* e *Fragmentos autobiográficos* / Erwin Schrödinger; tradução de Jesus de Paula Assis e Vera Yukie Kuwajima de Paula Assis – São Paulo: Fundação Editora da UNESP, 1997. – (UNESP/Cambridge)

   Título original: What is life? with Mind and Matter and Autobiographical Sketches
   Bibliografia.
   ISBN 85-7139-161-0

   1. Biologia – Filosofia 2. Biologia molecular 3. Espírito e matéria I. Título. II. Série

97-4197   CDD-574.01

Índice para catálogo sistemático:
1. Biologia: Filosofia   574.01

Editora afiliada:

SUMÁRIO

O que é vida?
O aspecto físico da célula viva 9

Introdução 13

Prefácio 15

1 O enfoque dado ao assunto pelo físico clássico 17

O caráter geral e o propósito da investigação. Física estatística.
A diferença fundamental em estrutura. O enfoque dado ao
assunto pelo físico ingênuo. Por que os átomos são tão pequenos?
O funcionamento de um organismo exige leis físicas exatas.
Leis físicas se apoiam em estatística atômica e, portanto, são apenas
aproximadas. Sua precisão encontra-se baseada em um grande
número de átomos intervenientes. Primeiro exemplo (paramagnetismo).
Segundo exemplo (movimento browniano, difusão). Terceiro exemplo
(limites de precisão de medida). A regra da $\sqrt{n}$

2 O mecanismo hereditário 31

A expectativa do físico clássico, longe de ser trivial, é errada.
O código hereditário (cromossomos). Crescimento do corpo por
divisão celular (mitose). Na mitose, todo cromossomo é duplicado.
Divisão redutiva (meiose) e fertilização (singamia). Indivíduos
haploides. A grande relevância da divisão redutiva. *Crossing-over*.

6 ERWIN SCHRÖDINGER

Localização das características hereditárias. Tamanho máximo de um gene. Números pequenos. Permanência.

3 Mutações 43

Mutações "por saltos" – a base da seleção natural. Eles se cruzam perfeitamente, isto é, são perfeitamente herdados. Localização. Recessividade e dominância. Introduzindo alguns termos técnicos. O efeito danoso do intercruzamento. Observações gerais e históricas. A necessidade de a mutação ser um evento raro. Mutações induzidas por raios X. Primeira lei. A mutação é um evento singular. Segunda lei. Localização do evento.

4 A evidência da mecânica quântica 57

A permanência é inexplicável pela física clássica. É explicável pela teoria quântica. A teoria quântica – estados descontínuos – saltos quânticos. Moléculas. Sua estabilidade depende da temperatura. Interlúdio matemático. Primeira correção. Segunda correção.

5 Análise e experimentação do modelo de Delbrück discutido e testado 67

O conceito geral de substância hereditária. O caráter único do conceito. Alguns equívocos tradicionais. Diferentes "estados" da matéria. A distinção que realmente importa. O sólido aperiódico. A variedade de informação condensada no código-miniatura. Comparação com os fatos: grau de estabilidade; descontinuidade das mutações. Estabilidade dos genes naturalmente selecionados. A estabilidade algumas vezes inferior dos mutantes. A temperatura influencia menos os genes instáveis que os estáveis. Como os raios X produzem mutação. Sua eficiência não depende de mutabilidade espontânea. Mutações reversíveis.

6 Ordem, desordem e entropia 79

Uma notável conclusão geral a partir do modelo. Ordem baseada em ordem. A matéria viva se esquiva do decaimento para o equilíbrio. Ela se alimenta de "entropia negativa". O que é entropia? O significado estatístico da entropia. Organização mantida pela extração de "ordem" a partir do ambiente.

7 A vida se baseia nas leis da física? 87

Novas leis a serem previstas no organismo. Revisando a situação biológica. Sumariando a situação física. O surpreendente contraste. Duas maneiras de produzir ordem. O novo princípio não é estranho à física. O movimento de um relógio. Mecanismos

O QUE É VIDA? 7

são, afinal de contas, estatísticos. Teorema de Nerst. O relógio de pêndulo encontra-se virtualmente à temperatura zero. A relação entre mecanismo e organismo.

Epílogo – Sobre o determinismo e o livre-arbítrio 97

Mente e matéria
As conferências de Tarner 103

1 A base física da consciência 107

O problema. Uma tentativa de resposta. Ética.

2 O futuro da compreensão 117

Um beco sem saída biológico? A aparente melancolia do darwinismo. O comportamento influencia a seleção. Lamarckismo dissimulado. Fixação genética de hábitos e habilidades. Perigos para a evolução intelectual.

3 O princípio da objetivação 131

4 O paradoxo aritmético: a unicidade da mente 141

5 Ciência e religião 153

6 O mistério das qualidades sensoriais 165

Fragmentos autobiográficos 175

O QUE É VIDA?
O ASPECTO FÍSICO
DA CÉLULA VIVA

Baseado em palestras proferidas sob os auspícios do Dublin
Institut for Advanced Studies do Trinity College,
Dublin, em fevereiro de 1943

À memória de meus pais.

INTRODUÇÃO

Quando eu era um jovem estudante de matemática no início dos anos 50, eu não lia muito, mas o que realmente lia – se pelo menos terminasse o livro – era normalmente de Erwin Schrödinger. Sempre achei seu texto estimulante, pois sempre havia uma excitação de descoberta, com a perspectiva de ganhar algum conhecimento genuinamente novo sobre este misterioso mundo em que vivemos. Nenhum de seus textos possui mais dessa qualidade que seu curto clássico *O que é vida?* que, agora percebo, deve certamente figurar entre os mais influentes escritos científicos deste século. Ele representa uma vigorosa tentativa de compreender alguns dos genuínos mistérios da vida, feita por um físico cujos profundos *insights* tanto contribuíram para mudar o modo como entendemos de que é feito o mundo. O caráter transdisciplinar do livro não era comum em sua época e, ainda assim, ele é escrito com uma enternecedora, talvez ingênua, modéstia, em um nível que o torna acessível a não especialistas e aos jovens que aspiram a cientistas. Na verdade, muitos dos cientistas que fizeram contribuições fundamentais à biologia, como J. B. S. Haldane e Francis Crick, já admitiram ter sido fortemente influenciados pelas (embora nem sempre em completo acordo com) amplas ideias apresentadas aqui por este muito original e profundamente judicioso físico.

Assim como muitos trabalhos que tiveram grande impacto sobre o pensamento humano, ele formula questões que, uma vez compreendidas, têm algo de verdade autoevidente; apesar disso, elas permanecem cegamente ignoradas por uma desconcertante quantidade de pessoas que deveriam conhecê-las. Quão frequentemente ainda ouvimos que efeitos quânticos só podem ter uma pequena relevância no estudo da biologia, ou mesmo que nos alimentamos para ganhar energia? Isso serve para enfatizar a relevância que *O que é vida?*, de Schrödinger, continua tendo para nós. Vale muito a pena lê-lo!

Roger Penrose
Agosto de 1991

PREFÁCIO

Espera-se que um cientista tenha conhecimento completo e profundo, em primeira mão, de *alguns* assuntos e, portanto, que não escreva sobre qualquer tópico no qual não seja um mestre. Isso é considerado algo de *noblesse oblige*. Para o propósito presente, peço licença para renunciar à *noblesse*, se há alguma, e ser liberado da obrigação resultante. Minha desculpa é:

Herdamos de nossos antepassados um profundo desejo por um conhecimento unificado e abrangente. O próprio nome dado às mais altas instituições de ensino nos faz lembrar que, desde a Antiguidade e através de muitos séculos, o caráter *universal* tem sido o único a que se dá total crédito. Mas o alargamento nos singulares últimos cem anos das múltiplas ramificações do conhecimento, tanto em extensão quanto em profundidade, confrontou-nos com um difícil dilema. Sentimos claramente que só agora começamos a adquirir material confiável para reunir tudo o que se sabe em uma só totalidade. Mas, por outro lado, tornou-se quase impossível para uma só mente dominar por completo mais que uma pequena porção especializada desse conhecimento.

Não vejo outra saída para esse dilema (sob o risco de nosso verdadeiro objetivo ser perdido para sempre) além de alguns de nós nos aventurarmos a embarcar numa síntese de fatos e de teorias, ainda que munidos de conhecimento incompleto e de segunda mão sobre alguns deles, e sob o risco de parecermos tolos.

16 ERWIN SCHRÖDINGER

E já é muito para minhas desculpas.

As dificuldades da linguagem não são negligenciáveis. Para cada um, a língua materna é uma roupa ajustada e ninguém se sente à vontade quando ela não está disponível e tem de ser substituída por outra. Os maiores agradecimentos são devidos ao Dr. Inkster (Trinity College, Dublin), ao Dr. Padraig Browne (St. Patrick's College, Maynooth) e, por último, mas não de menor importância, ao Sr. S. C. Roberts. Eles se viram em grandes apuros para ajustar em mim a nova roupa e em maiores ainda por causa da minha ocasional relutância em desistir de algumas modas "originais" próprias. Se alguma sobreviveu à tendência minimizadora desses amigos, a culpa deve ser creditada a mim, não a eles.

Os títulos de muitas seções foram originalmente concebidos como sumários marginais. Assim, o texto de cada capítulo deve ser lido *in continuo.*

E. S.

Dublin
Setembro, 1944

Homo liber nulla de re minus quam de morte cogitat;
et ejus sapientia non mortis sed vitae meditatio est.
(Não existe nada em que um homem livre pense menos
que a morte; sua sabedoria é meditar não sobre
a morte, mas sobre a vida.)
Espinosa, *Ética*, p.IV, Prop.67.

1
O ENFOQUE DADO AO ASSUNTO PELO FÍSICO CLÁSSICO

Cogito ergo sum.
Descartes

O caráter geral e o propósito da investigação

Este pequeno livro nasceu a partir de um curso de palestras públicas, proferidas por um físico teórico para uma audiência de cerca de 400 pessoas que não diminuiu substancialmente, embora tivesse sido avisada de início de que o assunto era difícil e de que as palestras não podiam ser consideradas populares, ainda que a mais temida arma do físico, a dedução matemática, pouco fosse utilizada. A razão disso não era que o assunto fosse simples o bastante para poder ser explicado sem matemática, mas que ele era complexo demais para ser completamente acessível à matemática. Outra característica que pelo menos induziu um semblante de popularidade foi a intenção do professor de deixar clara, tanto para físicos como para biólogos, a ideia fundamental, que flutua entre a biologia e a física.

Pois na verdade, a despeito da variedade de tópicos em questão, toda a empresa existe apenas para portar uma ideia: um pequeno comentário numa grande e importante questão. De forma a não perdermos nossa trilha, talvez seja útil, de antemão, esboçar brevemente o plano.

A grande, importante e muito discutida questão é:

Como podem eventos *no espaço e no tempo*, que ocorrem dentro dos limites espaciais de um organismo vivo, ser abordados pela física e pela química?

18 ERWIN SCHRÖDINGER

A resposta preliminar que este pequeno livro se esforçará por expor e estabelecer pode ser resumida como:

A óbvia incapacidade da física e química atuais para lidar com esses assuntos não é, de forma alguma, razão para duvidar de que eles possam ser abordados por essas ciências.

Física estatística. A diferença fundamental em estrutura

Esta seria uma observação muito trivial, se pretendesse apenas estimular a esperança de conseguir no futuro aquilo que não o foi no passado. Mas seu significado é muito mais positivo, a saber: a incapacidade, até o presente, é amplamente justificada.

Atualmente, graças ao engenhoso trabalho de biólogos, principalmente geneticistas, durante os últimos 30 ou 40 anos, muito é sabido acerca da real estrutura material dos organismos e acerca de seu funcionamento, para que se possa afirmar, e dizer precisamente por que, a física e a química atuais não poderiam possivelmente lidar com o que acontece no espaço e no tempo dentro de um organismo vivo.

Os arranjos dos átomos nas partes mais vitais de um organismo e a interação entre esses arranjos diferem de forma fundamental de todos os arranjos atômicos que os físicos e químicos vêm tendo como objeto de pesquisa experimental e teórica. Entretanto, a diferença a que chamei fundamental é de tal tipo que pareceria muito sutil para qualquer um, exceto para o físico totalmente imbuído de que as leis da física e da química são completamente estatísticas.[1] Pois é em relação ao ponto de vista estatístico que a estrutura das partes vitais dos organismos vivos diferem tão completamente daquelas de qualquer porção de matéria que nós, físicos e químicos, temos sempre manuseado fisicamente em nossos laboratórios ou mentalmente, em nossas escrivaninhas.[2] É quase impensável que as leis e regularidades assim descobertas devam se aplicar imediatamente ao comportamento de

---

1 Essa afirmação pode parecer um pouco geral demais. A discussão deve ser adiada até o fim deste livro (p.90 e 91).

2 Esse ponto de vista foi enfatizado em dois inspiradores artigos de F. G. Donnan, La science physico-chimique décrit-elle dune façon adéquate les phénomènes biologiques? *Scientia*, v.24, n.78, p.10, 1918. The mistery of life. *Smithsonian Report*, 1929, p.309.

sistemas que não exibem a estrutura na qual estão baseadas tais leis e regularidades.

Não se pode esperar que o não físico sequer apreenda a diferença – ou mesmo aprecie a relevância da diferença – em "estrutura estatística" colocada em termos tão abstratos como os que acabo de usar. Para dar cor e vida à colocação, permitam-me antecipar o que será explicado depois em detalhe muito maior, ou seja, que a parte mais essencial de uma célula viva – a fibra cromossômica – pode ser propriamente chamada *cristal aperiódico*. Em física, temos lidado até hoje apenas com *cristais periódicos*. Para a modesta mente de um físico, esses são objetos muito interessantes e complicados. Constituem uma das mais fascinantes e complexas estruturas materiais com as quais a natureza desafia seu gênio. Mesmo assim, comparadas com o cristal aperiódico, elas são simples e sem graça. A diferença em termos de estrutura é do mesmo tipo que aquela entre um papel de parede comum, no qual o mesmo padrão é repetido indefinidamente numa periodicidade regular, e uma obra-prima de bordado, uma tapeçaria de Rafael, digamos, que não mostra repetições simples, mas antes um desenho elaborado, coerente e significativo traçado pelo grande mestre.

Ao chamar o cristal periódico um dos mais complexos objetos de sua pesquisa, tinha eu em mente, na verdade, o físico. A química orgânica, de fato, ao investigar moléculas cada vez mais complicadas, chegou muito mais perto daquele "cristal aperiódico" que, em minha opinião, é o portador material da vida. E portanto, não é de se estranhar que o químico orgânico tenha já feito grandes e importantes contribuições ao problema da vida, enquanto o físico quase nada fez.

O enfoque dado ao assunto pelo físico ingênuo

Depois de assim ter indicado, muito brevemente, a ideia geral – ou melhor, o objetivo último – de nossa investigação, permitam-me descrever a linha de ataque.

Proponho desenvolver em primeiro lugar o que se poderia chamar "ideias de um físico ingênuo sobre organismos", ou seja, ideias que poderiam se originar na mente de um físico que, depois de ter aprendido física e, mais especificamente, a fundamentação estatística de sua ciência, começa a pensar sobre organismos e sobre a forma como se comportam e funcionam, e acaba por conscientemente perguntar a si próprio se ele, a partir do que aprendeu, do ponto de vista de sua com-

20 ERWIN SCHRÖDINGER

parativamente simples e modesta ciência, pode fazer qualquer contribuição relevante à questão.

A seu tempo se verá que ele pode. O próximo passo será comparar suas antecipações teóricas com os fatos biológicos. O resultado será então que, embora no todo suas ideias pareçam bastante razoáveis, precisarão ser apreciavelmente emendadas. Dessa forma, chegaremos gradualmente à visão correta ou, dizendo a coisa mais modestamente, àquela que proponho como a correta.

Mesmo que eu esteja certo a esse respeito, não sei se meu enfoque é realmente o melhor e mais simples. De qualquer maneira, para encurtar razões, é de minha autoria. O "físico ingênuo" fui eu mesmo. E não consigo encontrar nada melhor ou mais claro para atingir o objetivo que meu desajeitado modo de me conduzir.

Por que os átomos são tão pequenos?

Um bom modo de desenvolver "as ideias do físico ingênuo" é começar da incomum e quase ridícula questão: por que os átomos são tão pequenos? Para começar, eles são mesmo muito pequenos. Toda pequena porção de matéria manuseada na vida cotidiana contém um número enorme deles. Muitos exemplos foram desenvolvidos para dar ao público uma ideia disso, nenhum mais impressionante que o usado por Lord Kelvin: suponha que você pudesse marcar as moléculas em um copo d'água; coloque então o conteúdo do copo no oceano e agite este de forma a poder distribuir as moléculas uniformemente pelos sete mares; se você, então, pegasse um copo d'água de qualquer lugar do oceano, encontraria nele cerca de 100 de suas moléculas marcadas.[3]

Os tamanhos reais dos átomos[4] estão entre 1/5.000 e 1/2.000 do comprimento de onda da luz amarela. A comparação é significativa,

---

3 Você, claro, não encontraria exatamente 100 (mesmo que esse fosse o resultado exato do cálculo). Encontraria 88 ou 95 ou 107 ou 112, mas muito pouco provavelmente menos de 50 ou mais de 150. Deve-se esperar um "desvio" ou "flutuação" da ordem da raiz quadrada de 100, isto é, 10. O estatístico expressa isso afirmando que você encontraria 100 ± 10. Essa observação pode, por ora, ser ignorada, mas será lembrada mais adiante, fornecendo um exemplo da lei estatística da raiz quadrada de n.

4 De acordo com o ponto de vista mantido atualmente, o átomo não tem limite bem claro, de forma que "tamanho" de um átomo não é um conceito bem definido. Mas podemos identificá-lo (ou, se preferirem, substituí-lo) pela distância entre seus centros num sólido ou num líquido, não, é claro, no estado gasoso, no qual essa distância é, sob condições normais de pressão e de temperatura, aproximadamente dez vezes maior.

O QUE É VIDA? 21

pois o comprimento de onda indica aproximadamente as dimensões do menor grão ainda reconhecível ao microscópio. Mesmo assim, veremos que esse grão ainda contém milhares de milhões de átomos. Agora, por que os átomos são tão pequenos? Claro está que a questão é uma evasão, pois ela realmente não se dirige ao tamanho dos átomos. Ela diz respeito ao tamanho dos organismos, mais particularmente ao tamanho de nossos próprios corpos. Na verdade, o átomo é pequeno quando comparado a nossa unidade civil de comprimento: a jarda ou o metro. Em física atômica, costuma-se usar o Ångström (abreviado Å), que equivale a $1/10^{10}$ de um metro ou, em notação decimal, 0,0000000001 metro. Diâmetros atômicos variam entre 1 e 2 Å. Aquelas unidades civis (em relação às quais os átomos são tão pequenos) estão fortemente relacionadas ao tamanho de nossos corpos. Existe uma história que relaciona a jarda ao humor de um monarca inglês a quem os conselheiros perguntaram que unidade adotar. Ele esticou seu braço para o lado e disse: "Tomem a distância do meio de meu peito até a ponta de meus dedos; isso vai bastar". Verdadeira ou não, a história é significativa para nossos propósitos. Naturalmente, o rei indicaria um comprimento comparável com o de seu corpo, sabedor de que qualquer coisa diferente seria muito inconveniente. Apesar de toda sua predileção pelo Ångström, o físico prefere ser informado de que sua nova roupa exigirá seis e meia jardas de *tweed* e não sessenta e cinco milhares de milhões de Ångströms de tecido.

Tendo estabelecido que nossa questão realmente tem por objetivo a razão entre dois comprimentos – o de nosso corpo e o do átomo – com uma incontestável prioridade de existência independente para o lado do último, a pergunta acaba por se tornar: por que devem nossos corpos ser tão grandes quando comparados com o átomo?

Posso imaginar que muitos bons estudantes de física ou de química tenham já deplorado o fato de que cada um de nossos órgãos dos sentidos, formando uma parte mais ou menos substancial de nosso corpo e, portanto (em vista da magnitude da razão dada), sendo eles próprios compostos de inumeráveis átomos, seja por demais grosseiro para ser afetado pelo impacto de um átomo isolado. Não podemos ver, tocar ou ouvir átomos isolados. Nossas hipóteses a respeito deles diferem em muito dos achados imediatos de nossos grosseiros órgãos dos sentidos e não podem ser submetidas ao teste da inspeção direta.

Isso precisa ser assim? Existe para isso alguma razão intrínseca? Podemos relacionar esse estado de coisas a algum tipo de princípio

22 ERWIN SCHRÖDINGER

primeiro, de tal forma a afirmar e compreender por que nada mais poderia ser compatível com as leis fundamentais da Natureza? Esse sim é um problema que o físico está capacitado para esclarecer completamente. A resposta a todas essas demandas é afirmativa.

O funcionamento de um organismo exige leis físicas exatas

Se não fosse assim, se fôssemos organismos tão sensíveis a ponto de que um só átomo ou mesmo alguns átomos pudessem deixar uma impressão perceptível em nossos sentidos, pelos céus, como seria a vida! Frisemos um ponto: um organismo desse tipo quase certamente seria incapaz de desenvolver o tipo de pensamento ordenado que, depois de ter passado por uma longa sequência de estágios anteriores, finalmente resulta na concepção, entre outras, da ideia de átomo.

Mesmo selecionando esse único ponto, as considerações adiante também se aplicariam essencialmente ao funcionamento de outros órgãos, além do cérebro e do sistema sensorial. Ainda assim, para nós, a coisa mais importante em nós mesmos é que podemos sentir, pensar e perceber. Em relação ao processo fisiológico responsável pelo pensamento e pela sensação, todos os outros têm papel auxiliar, pelo menos do ponto de vista humano, senão também da perspectiva da biologia puramente objetiva. Além disso, nossa tarefa será muito mais fácil se escolhermos para investigação o processo que é acompanhado de perto por eventos subjetivos, mesmo que ignoremos a verdadeira natureza desse estreito paralelismo. Na verdade, de meu ponto de vista, esse paralelismo se encontra fora do escopo da ciência natural e, muito provavelmente, de todo o entendimento humano.

Assim, somos confrontados com a seguinte questão: por que um órgão como nosso cérebro, com o sistema sensorial a ele ligado, deve necessariamente ser constituído por um enorme número de átomos, de tal forma que seu estado físico cambiante esteja em estreita e íntima correspondência com o pensamento altamente desenvolvido? Por que o pensamento seria incompatível com o fato de o cérebro – no todo ou em algumas partes periféricas ligadas ao meio circundante – ter um mecanismo suficientemente refinado e sensível para responder e registrar o impacto externo de um átomo isolado?

A razão é que aquilo a que chamamos pensamento (1) é em si algo ordenado, e (2) só pode ser aplicado a materiais, isto é, percepções ou experiências, que possuam um certo grau de ordem. Isso tem duas consequências. Primeira: uma organização física que esteja em correspondência estreita com o pensamento (como meu cérebro está com meu pensamento) deve ser uma organização bem ordenada, o que significa que os eventos que ocorrem dentro dela devem obedecer a leis físicas estritas, com pelo menos alto grau de precisão. Segunda: as impressões físicas estampadas por corpos externos sobre esse sistema físico bem organizado obviamente se correlacionam com a percepção e experiência do pensamento correspondente, formando seu material, como denominei anteriormente. Portanto, as interações físicas entre nosso sistema e outros devem, como regra, possuir elas próprias um certo grau de ordenamento físico, o que equivale dizer, devem obedecer a leis físicas estritas com um certo grau de precisão.

Leis físicas se apoiam em estatística atômica e, portanto, são apenas aproximadas

E por que todos esses requisitos não poderiam ser preenchidos no caso de um organismo composto apenas por um número moderado de átomos e sensível ao impacto de um ou de poucos átomos? Porque sabemos que todos os átomos fazem, o tempo todo, um movimento térmico completamente desordenado que, por assim dizer, se opõe a seu comportamento ordenado, o que impede que eventos que aconteçam entre um pequeno número de átomos se submetam a quaisquer leis reconhecíveis. Apenas na cooperação entre um número enormemente grande de átomos podem as leis estatísticas começar a operar e controlar o comportamento desses *assemblèes*, com uma precisão que aumenta conforme aumenta o número de átomos envolvidos. É nesse sentido que os eventos adquirem características verdadeiramente ordenadas. Todas as leis físicas e químicas que se sabe desempenharem um papel importante na vida dos organismos têm esse caráter estatístico. Todo outro tipo de lei e ordem que se possa imaginar seria perpetuamente perturbado e tornado inoperante pelo incessante movimento térmico dos átomos.

Sua precisão encontra-se baseada em um grande número de átomos intervenientes.
Primeiro exemplo (paramagnetismo)

Permitam-me tentar ilustrar esse ponto com uns poucos exemplos colhidos um tanto ou quanto ao acaso entre milhares. Talvez não sejam os melhores em termos de apelo para o leitor que pela primeira vez entra em contato com essa condição das coisas – condição que, em física e química modernas, é tão fundamental como, por exemplo, o fato de os organismos serem compostos de células o é para a biologia, ou as leis de Newton o são para a astronomia, ou mesmo a série de inteiros (1, 2, 3, 4, 5, ...) o é para a matemática. Um iniciante completo não deve esperar obter, a partir das próximas poucas páginas, uma apreciação e compreensão completa do assunto, que está associado aos ilustres nomes de Ludwig Boltzmann e Willard Gibbs e que é discutido em livros-texto sob o nome de "termodinâmica estatística".

Se se preencher um tubo oblongo de quartzo com oxigênio gasoso e colocá-lo em um campo magnético, ver-se-á que o gás vai ficar magnetizado.[5] Essa magnetização é devida ao fato de as moléculas de oxigênio serem pequenos magnetos e tenderem a se orientar paralelamente ao campo, como a agulha de uma bússola. Mas não se deve pensar que todas elas ficam paralelas. Pois, se o campo for dobrado, o dobro da magnetização acontece nessa massa de oxigênio, e essa proporcionalidade vai até forças de campo extremamente fortes, a magnetização aumentando na razão do campo aplicado.

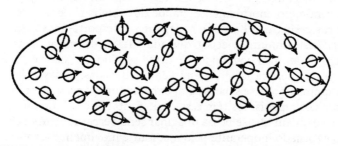

FIGURA 1 – Paramagnetismo.

Este é um exemplo particularmente claro de uma lei puramente estatística. A orientação que o campo tende a produzir é continua-

---

5 Um gás foi escolhido por ser mais simples que um sólido ou líquido. O fato de a magnetização, no caso, ser extremamente fraca, não irá prejudicar as considerações teóricas.

O QUE É VIDA? 25

mente contrarrestada pelo movimento térmico, que trabalha no sentido da orientação aleatória. O efeito dessa contenda é, na verdade, apenas uma pequena preferência por ângulos agudos, em lugar de obtusos, entre os eixos dipolares e o campo. Embora átomos individuais mudem de orientação incessantemente, eles produzem na média (devido a seu enorme número) uma preponderância pequena e constante de orientação na direção do campo e proporcional a ele. Essa engenhosa explicação é devida ao físico francês P. Langevin e pode ser verificada do seguinte modo: se a fraca magnetização que se observa é realmente o resultado de tendências rivais – nomeadamente, do campo magnético, que quer colocar todas as moléculas em paralelo, e do movimento térmico, que vai na direção da aleatoriedade – então deve ser possível aumentar a magnetização pelo enfraquecimento do movimento térmico, isto é, pela diminuição da temperatura, em lugar do reforço do campo. Isso é confirmado pela experimentação, que apresenta a magnetização como inversamente proporcional à temperatura absoluta, em concordância quantitativa com a teoria (lei de Curie). Equipamento moderno chega mesmo a permitir, pela diminuição da temperatura, a redução do movimento térmico a um ponto tão insignificante que a tendência de orientação do campo magnético pode se impor, senão completamente, pelo menos de forma suficiente para produzir uma fração substancial de "magnetização completa". Nesse caso, não se deve mais esperar que dobrar a força do campo leve ao dobro da magnetização, mas sim que esta aumente cada vez menos com o aumento do campo, aproximando-se do que se chama "saturação". Também essa expectativa é confirmada quantitativamente pela experiência.

Note-se que esse comportamento depende inteiramente do grande número de moléculas que cooperam na produção de uma magnetização observável. De outra forma, esta jamais seria constante, mas sim, em razão de flutuações completamente irregulares de um segundo a outro, testemunha das vicissitudes da luta entre movimento térmico e campo.

Segundo exemplo (movimento browniano, difusão)

Se se preencher a parte inferior de um recipiente fechado de vidro com neblina, constituída de minúsculas gotículas, poderá ser visto que o limite superior da neblina afundará gradualmente com uma velocidade bem definida, determinada pela viscosidade do ar e pelo tamanho e gravidade específica das gotículas. Mas se se usar um microscópio e se olhar para uma das gotículas, o que se vai ver é que ela não afunda permanentemente com velocidade constante, mas antes perfaz um movimento bastante irregular, chamado movimento browniano, que apenas na média corresponde ao afundamento regular.

Essas gotículas não são átomos, mas são suficientemente pequenas e leves para não serem inteiramente insensíveis ao impacto de uma molécula isolada daquelas que perpetuamente martelam sua superfície. Elas são, portanto, golpeadas o tempo todo e apenas em média podem seguir a influência da gravidade.

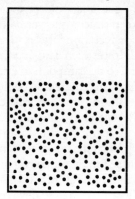

FIGURA 2 – Neblina afundando.

FIGURA 3 – Movimento browniano de uma gotícula que afunda.

Esse exemplo mostra que estranha e desordenada experiência teríamos se nossos sentidos fossem sensíveis ao impacto de umas poucas moléculas. Existem bactérias e outros organismos tão pequenos que são fortemente afetados por esse fenômeno. Seus movimentos são determinados pelos caprichos térmicos do meio circundante. Eles não têm escolha. Se tivessem algum movimento próprio, poderiam ir de um lugar a outro, mas com alguma dificuldade, visto que o movimento térmico os sacode, como o mar agitado faz com um pequeno barco.

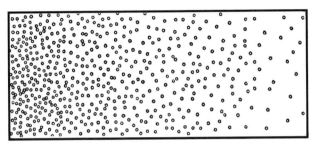

FIGURA 4 – Difusão da esquerda para a direita em uma solução de concentração variável.

Muito semelhante ao movimento browniano é o fenômeno de *difusão*. Imaginem um recipiente cheio de líquido, água, por exemplo, com uma pequena quantidade de substância colorida nela dissolvida, por exemplo, permanganato de potássio. Suponham também que a concentração da última não seja uniforme, mas sim como na Figura 4, na qual os pontos indicam as moléculas da substância dissolvida (permanganato) e a concentração diminui da esquerda para a direita. Se esse sistema for deixado a si próprio, instala-se um processo muito lento de "difusão", com o permanganato espalhando-se da esquerda para a direita, ou seja, dos locais de concentração mais alta para os de mais baixa, até que esteja uniformemente distribuído na água.

A coisa notável acerca desse processo simples e, aparentemente, pouco interessante, é que ele não é de forma alguma devido, como alguém poderia ser levado a suspeitar, a qualquer tendência ou força que leve as moléculas de permanganato da região mais populosa para a menos populosa – como aconteceria com a população de um país espalhando-se para onde haja menos acotovelamento. Nada disso acontece com nossas moléculas de permanganato. Cada uma delas se comporta independentemente de todas as outras, com as quais raramente se encontra. Todas elas, seja na região populosa, seja na vazia, sofrem o mesmo destino de serem continuamente golpeadas pelas moléculas de água e, assim, gradualmente moverem-se numa direção imprevisível: algumas vezes para a concentração mais alta, outras para a mais baixa, outras ainda de forma oblíqua. Esse tipo de movimento feito por elas tem sido frequentemente comparado ao de um cego em uma grande superfície plana, imbuído de um certo desejo de "andar", mas sem qualquer preferência por uma direção em particular, mudando sua linha, assim, continuamente.

Que esse caminhar aleatório das moléculas de permanganato, o mesmo para todas elas, possa ainda assim produzir um fluxo regular em direção à região de menor concentração e, afinal de contas, promover a distribuição uniforme, é à primeira vista desconcertante – mas só à primeira vista. Se se imaginar, na Figura 4, finas fatias de concentração aproximadamente constante, as moléculas de permanganato que, em um dado instante, estiverem em uma mesma fatia serão, em virtude de seu caminhar aleatório, levadas para a direita ou para a esquerda com igual probabilidade. Mas, precisamente em consequência disso, um plano que separa duas fatias contíguas será cruzado por mais moléculas vindas da esquerda do que na direção oposta, simplesmente porque na esquerda existem mais moléculas caminhando aleatoriamente do que na direita. E, enquanto isso durar, o balanço vai se mostrar como um fluxo regular da esquerda para a direita, até que se chegue a uma distribuição uniforme.

Quando essas considerações são traduzidas em linguagem matemática, chega-se à lei da difusão, que tem a forma de uma equação diferencial parcial

$$\frac{\partial \rho}{\partial t} = D\nabla^2\rho$$

com cuja explicação não pretendo amolar o leitor, embora seu significado em linguagem comum seja de novo bastante simples.[6] A razão para aqui mencionar a implacável lei "matematicamente exata" é a de enfatizar que sua exatidão física deve, ainda assim, ser desafiada em qualquer aplicação particular. Estando baseada em pura chance, sua

---

6 Vejamos: a concentração em qualquer ponto dado aumenta (ou diminui) numa razão temporal proporcional à sobra (ou deficiência) de concentração em seu ambiente infinitesimal. A lei da condução do calor tem, aliás, a mesma forma, desde que se substitua "concentração" por "temperatura".

O QUE É VIDA? 29

validade é apenas aproximada. Se ela é, como regra, uma aproximação muito boa, isso se deve ao enorme número de moléculas que cooperam no fenômeno. Menor seu número, maiores os desvios que se devem esperar, e eles podem ser observados sob circunstâncias favoráveis.

Terceiro exemplo (limites de precisão de medida)

O último exemplo que iremos dar está muito próximo do segundo, mas tem um interesse particular. Um corpo leve suspenso por um longo e fino fio em equilíbrio é frequentemente usado pelos físicos para medir forças fracas que o defletem dessa posição: forças elétricas, magnéticas ou gravitacionais que lhe são aplicadas para tirá-lo de perto do eixo vertical. (O corpo leve deve, é claro, ser apropriadamente escolhido para tal propósito.) O contínuo esforço para aumentar a precisão desse equipamento tão comumente usado, a balança de torção, encontrou um curioso limite, mais interessante por si mesmo. Ao se escolherem corpos cada vez mais leves e fios cada vez mais finos – para tornar a balança sensível a forças cada vez mais fracas –, atingiu-se o limite quando o corpo suspenso se tornou visivelmente suscetível aos impactos das moléculas circundantes em movimento térmico e começou a "dançar" irregular e incessantemente em torno de sua posição de equilíbrio, de forma muito semelhante ao tremor das gotículas do segundo exemplo. Embora esse comportamento não coloque um limite absoluto à precisão das medidas obtidas com a balança, determina um limite prático. O efeito incontrolável do movimento térmico compete com o efeito da força a ser medida e torna insignificante uma deflexão particular observada. É preciso multiplicar as observações de forma a eliminar o efeito do movimento browniano do instrumento. Esse exemplo, penso, é particularmente esclarecedor em nossa presente investigação. Pois nossos órgãos dos sentidos, afinal, são um tipo de instrumento. Podemos ver quão inúteis eles seriam se se tornassem sensíveis demais.

A regra da $\sqrt{n}$

Por ora, chega de exemplos. Vou apenas acrescentar que não existe nenhuma lei em física ou em química, daquelas relevantes dentro de um organismo ou em suas interações com seu meio ambiente, que eu

30 ERWIN SCHRÖDINGER

não pudesse escolher como exemplo. A explicação detalhada poderia ser mais complicada, mas o ponto relevante seria sempre o mesmo e, assim, a descrição se tornaria monótona.

Mas gostaria de acrescentar uma afirmação quantitativa com respeito ao grau de imprecisão que se deve esperar de qualquer lei física, a chamada lei da $\sqrt{n}$. Vou primeiramente ilustrá-la com um exemplo simples e, depois, generalizá-la.

Se eu lhes disser que um certo gás sob dadas condições de pressão e de temperatura tem uma certa densidade, e se exprimir esse fato dizendo que dentro de um certo volume (de um tamanho relevante para algum experimento) existem, nessas condições, exatamente n moléculas do gás, então não há dúvidas de que, se pudessem testar minha afirmação num dado momento no tempo, descobririam que ela é imprecisa, com um desvio da ordem de $\sqrt{n}$. Assim, se $n = 100$, seria encontrado um desvio de cerca de 10, ou seja, um erro relativo de 10%. Mas se $n = 1$ milhão, o desvio provável seria de cerca de 1.000, portanto, um erro relativo de $1/10\%$. *Grosso modo*, essa lei estatística é bastante geral. As leis da física e da físico-química são imprecisas dentro de um erro relativo provável da ordem de $1\sqrt{n}$, onde n é o número de moléculas que cooperam para mostrar a lei – para exibir sua validade dentro das regiões do espaço e do tempo (ou ambos) que importam para algumas considerações ou para algum experimento em particular.

A partir disso, novamente se vê que um organismo deve ter uma estrutura comparativamente grosseira a fim de gozar do benefício de leis razoavelmente acuradas, tanto para sua vida interna quanto para seu intercâmbio com o mundo exterior. De outra forma, o número de partículas participantes seria muito pequeno e a "lei", muito imprecisa. A demanda particularmente exigente é a raiz quadrada. Pois, embora um milhão seja um número razoavelmente grande, uma precisão de apenas 1 em 1.000 não é exatamente boa, se algo reclama para si a dignidade de ser uma "Lei da Natureza".

2

O MECANISMO HEREDITÁRIO

Das Sein ist ewig; denn Gesetze
Bewahren die lebend'gen Schätze,
Aus welchen sich das All geschmückt.[1]

Goethe

A expectativa do físico clássico, longe de ser trivial, é errada

Assim, chegamos à conclusão de que um organismo e todos os processos biologicamente relevantes que ele experimenta devem ter uma estrutura extremamente "multiatômica" e estar resguardados de forma que eventos "monoatômicos" aleatórios não cheguem a ter muita importância. Isso, afirma-nos o "físico ingênuo", é essencial para que o organismo, por assim dizer, possua leis físicas suficientemente precisas a que recorrer a fim de ajustar seu funcionamento maravilhosamente regular e bem ordenado. Como essas conclusões, obtidas, biologicamente falando, *a priori* (isto é, a partir do ponto de vista puramente físico), se ajustam aos fatos biológicos reais?

À primeira vista, tende-se a pensar que as conclusões são pouco mais que triviais. Um biólogo, digamos, de 30 anos atrás, teria dito que, embora fosse bastante conveniente para um divulgador enfatizar a importância, no organismo assim como em outros lugares, da física

---

1 "O Ser é eterno; pois existem leis para conservar os tesouros da vida, às quais o Universo recorre para tirar beleza."

32 ERWIN SCHRÖDINGER

estatística, o ponto seria, na verdade, um truísmo bem familiar. Pois, naturalmente, não apenas o corpo de um indivíduo adulto de qualquer espécie superior, mas toda célula que o compõe, contém um número "cósmico" de átomos individuais de todo tipo. E todo processo fisiológico particular que se observa, seja no interior da célula, seja em sua interação com o meio ambiente, parece – ou parecia, há cerca de trinta anos – envolver um número tão grande de átomos individuais e processos atômicos individuais que todas as leis relevantes da física e da físico-química seriam resguardadas, mesmo perante a exigentes demandas da física estatística com respeito a "grandes números". Tal demanda, eu a ilustrei há pouco com a regra da $\sqrt{n}$.

Hoje, sabemos que essa opinião teria sido um erro. Como veremos, grupos incrivelmente pequenos de átomos, pequenos demais para exibirem leis estatísticas exatas, têm um papel preponderante nos eventos bem ordenados e submetidos a leis dentro de um organismo vivo. Eles têm controle sobre as características observáveis de larga escala que o organismo adquire ao longo de seu desenvolvimento e determinam importantes características de seu funcionamento. E, em tudo isso, leis biológicas muito precisas e estritas se manifestam.

Devo começar expondo um breve resumo da situação na biologia – mais especificamente, na genética. Em outras palavras, devo sumariar o estado atual do conhecimento num campo que não domino. Isso não tem como ser evitado e eu me desculpo, particularmente, com qualquer biólogo, pelo caráter diletante de meu sumário. Por outro lado, peço a licença de lhes colocar as principais ideias de forma mais ou menos dogmática. Não se deve esperar que um pobre físico teórico produza qualquer coisa parecida com um levantamento competente da evidência experimental, que consiste, por um lado, de muitas séries de longos e admiravelmente interconectados experimentos de reprodução, cuja engenhosidade verdadeiramente não tem precedentes e, por outro, de observações diretas da célula viva, conduzidas com todo o refinamento da microscopia moderna.

O código hereditário (cromossomos)

Permitam-me usar o termo "padrão" de um organismo, no sentido em que o biólogo o emprega: "o padrão tetradimensional", querendo dizer não apenas a estrutura e o funcionamento daquele organismo na fase adulta, ou em qualquer outra em particular, mas o todo de seu desenvolvimento ontogenético, desde a célula-ovo fertilizada, até a

O QUE É VIDA? 33

maturidade, quando o organismo começa a se reproduzir. Sabe-se que todo o padrão tetradimensional é determinado pela estrutura daquela única célula: o ovo fertilizado. Mais que isso, sabemos que ele é determinado apenas por uma pequena parte daquela célula: seu núcleo. Esse núcleo, no "estado de repouso" comum da célula, usualmente aparece como uma rede de cromatina,[2] distribuída pela célula. Porém, nos processos vitalmente importantes de divisão celular (mitose e meiose, veja mais adiante), vê-se que o núcleo é constituído de uma série de partículas, usualmente fibroides ou com forma de bastão, chamadas cromossomos, em número de 8 a 12 ou, no homem, 48. Na verdade, eu deveria mesmo era ter escrito esses números ilustrativos como 2 x 4, 2 x 6, ..., 2 x 24, ..., e deveria ter falado de dois conjuntos, de forma a usar a expressão no sentido costumeiramente empregado pelo biólogo. Pois embora os cromossomos individuais sejam às vezes claramente distinguidos e individualizados pela forma e tamanho, os dois conjuntos são quase completamente iguais. Como iremos ver em um momento, um conjunto vem da mãe (o óvulo) e um do pai (o espermatozoide fertilizador). São esses cromossomos, ou, provavelmente, apenas um filamento esquelético axial daquilo que realmente vemos ao microscópio como um cromossomo, que contêm, em algum tipo de código, todo o padrão do desenvolvimento futuro do indivíduo e de seu funcionamento no estado maduro. Todo conjunto completo de cromossomos contém o código total. Assim existem, como regra, duas cópias desse código no óvulo fertilizado, que forma o estágio mais primitivo do futuro indivíduo.

Ao chamar código a estrutura dos filamentos cromossômicos, queremos dizer que a mente onisciente concebida por Laplace, para a qual toda conexão causal ficava imediatamente clara, poderia dizer, a partir de sua estrutura, se o ovo se desenvolveria, sob condições favoráveis, em um galo preto ou em uma galinha pintada, em uma mosca ou em um pé de milho, em um rododendro, besouro, camundongo ou numa mulher. A isso, podemos acrescentar que frequentemente a aparência dos óvulos é notavelmente similar; e mesmo quando não o é, como no caso dos ovos comparativamente gigantescos de pássaros e répteis, a diferença não é tanto nas estruturas relevantes, mas no material nutritivo que, nesses casos, é mais expressivo, por razões óbvias.

---

2 A palavra significa "substância que toma cor", a saber, em um dado processo de coloração usado na técnica de microscopia.

34 ERWIN SCHRÖDINGER

Mas o termo código é, evidentemente, muito estreito. As estruturas cromossômicas são ao mesmo tempo instrumentais na realização do desenvolvimento que prefiguram. São o código legal e o poder executor ou, para usar outra analogia, são o projeto do arquiteto e a perícia do construtor em um só.

Crescimento do corpo por divisão celular (mitose)

Como os cromossomos se comportam na ontogênese?[3] O crescimento de um organismo é levado a efeito por divisões celulares consecutivas. Tal divisão celular é chamada mitose. Na vida de uma célula, a mitose não é um evento tão frequente quanto se poderia esperar, considerando o enorme número de células que compõe nosso corpo. No começo, o crescimento é rápido. O ovo divide-se em duas "células-filhas" que, no passo seguinte, produzirão uma geração de quatro, então 8, 16, 32, 64, ... etc. A frequência de divisão não permanece exatamente a mesma em todas as partes do corpo em desenvolvimento, e esse fato quebra a regularidade daqueles números. Mas, a partir de seu rápido aumento, inferimos através de uma conta simples que, na média, apenas 50 ou 60 divisões sucessivas são suficientes para produzir o número de células[4] de um homem crescido ou, talvez, dez vezes o número, levando em conta as substituições celulares que acontecem durante a vida. Assim, uma de minhas células somáticas, na média, é apenas a 50ª ou 60ª "descendente" do ovo que eu fui.

Na mitose, todo cromossomo é duplicado

Como os cromossomos se comportam na mitose? Eles se duplicam: ambos os conjuntos, ambas as cópias do código se duplicam. O processo tem sido muito estudado ao microscópio e é do maior interesse, embora seja muito complexo para ser descrito em detalhe neste ponto. O que importa é que cada uma das duas "células-filhas" recebe um dote de dois conjuntos adicionais completos de cromos-

---

3 Ontogênese é o desenvolvimento de um indivíduo durante sua vida, o que se opõe a filogênese, que é o desenvolvimento da espécie dentro de períodos geológicos.
4 *Grosso modo*, cem ou mil bilhões.

O QUE É VIDA? 35

somos exatamente similares àqueles da célula parental. Assim, todas as células do corpo serão exatamente iguais com respeito ao patrimônio cromossômico.[5] Mesmo que pouco entendamos do mecanismo, não podemos deixar de ver que deve ser de algum modo muito importante para o funcionamento do organismo que toda célula individual, mesmo a menos importante, deva possuir uma cópia completa (dobrada) do código. Há algum tempo, soubemos pelos jornais que, na campanha na África, o general Montgomery considerava relevante ter cada um de seus soldados meticulosamente informado de todos os seus planos. Se isso é verdade (o que provavelmente é, considerando o alto nível de inteligência e de confiabilidade de suas tropas), aí está uma excelente analogia para nosso caso, no qual o fato correspondente é literalmente verdadeiro. O fato mais surpreendente é a duplicidade do conjunto de cromossomos, mantida através das divisões mitóticas. Que essa é uma característica importante do mecanismo genético é revelado pelo único e singular desvio da regra, que agora passamos a discutir.

Divisão redutiva (meiose) e fertilização (singamia)

Logo depois de começado o desenvolvimento do indivíduo, um grupo de células é reservado para produzir, num estágio posterior, os assim chamados gametas, espermatozoides ou óvulos, conforme o caso, necessários à reprodução do mesmo na maturidade. "Reservado" significa que essas células não servem para outros propósitos enquanto esperam, e sofrem muito poucas divisões mitóticas. A divisão redutiva ou excepcional (chamada meiose) é aquela pela qual finalmente, na maturidade, os gametas são produzidos a partir dessas células reservadas, como regra apenas pouco antes do tempo em que a singamia deve acontecer. Na meiose, o duplo conjunto de cromossomos da célula parental simplesmente se separa em dois conjuntos singulares, cada um dos quais vai para uma das células-filhas, os gametas. Noutras palavras, a duplicação mitótica do número de cromossomos não acontece na meiose: o número permanece constante e, assim, cada gameta recebe metade – isto é, apenas uma cópia completa do código, não duas; por exemplo, no homem, apenas 24 e não 2 x 24 = 48.

---

5 O biólogo vai me desculpar por deixar de lado neste breve sumário o excepcional caso dos mosaicos.

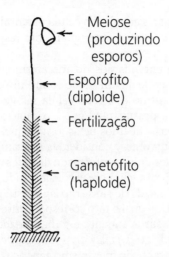

FIGURA 5 – Alternação de gerações.

Células com apenas um conjunto de cromossomos são chamadas haploides (do grego ἁπλοῦς, singular). Assim, os gametas são haploides e as células somáticas normais, diploides (do grego διπλοῦς, duplo). Ocasionalmente, ocorrem indivíduos com três, quatro, ou, de uma forma geral, muitos conjuntos de cromossomos em suas células somáticas. São então chamados triploides, tetraploides, ..., poliploides.

No ato da singamia, o gameta masculino (espermatozoide) e o gameta feminino (óvulo), ambos células haploides, coalescem para formar o ovo fertilizado, que é, portanto, diploide. Um de seus conjuntos de cromossomos vem da mãe, o outro do pai.

Indivíduos haploides

Outro ponto pede retificação. Embora não seja indispensável para nossos propósitos, ele é de interesse, pois mostra que, realmente, um código completo do "padrão" está contido em cada conjunto de cromossomos.

Existem instâncias em que a meiose não é imediatamente seguida de fertilização, com a célula haploide (o "gameta") sofrendo nesse tempo uma série de divisões mitóticas, o que resulta no desenvolvimento de um indivíduo completamente haploide. Esse é o caso do macho da abelha, o zangão, o qual é produzido partenogeneticamente, isto é,

O QUE É VIDA? 37

a partir de ovos não fertilizados, e portanto haploides, da abelha-
-rainha. O zangão não tem pai! Todas as suas células somáticas são
haploides. Se preferirem, podem considerá-lo um espermatozoide
exagerado. Na verdade, como todos sabem, funcionar como tal é o
único objetivo de sua vida. No entanto, esse é, talvez, um ponto de
vista um tanto ridículo. Pois o caso não é único. Existem famílias de
plantas nas quais o gameta haploide produzido por meiose e chamado esporo cai ao solo e, como uma semente, desenvolve-se numa
planta verdadeiramente haploide, comparável em tamanho com a
diploide. A Figura 5 representa um esboço ligeiro de um musgo, bem
conhecido em nossas florestas. A parte folhosa inferior é a planta
haploide, chamada gametófito, uma vez que, em sua extremidade
superior, está apta a desenvolver órgãos sexuais e gametas que, por
fertilização mútua, produzem, da forma normal, uma planta diploide. Esta é a haste nua com a cápsula no topo e recebe o nome de
esporófito porque produz, na cápsula, por meiose, esporos. Quando
esta se abre, os esporos caem ao solo e se desenvolvem em uma haste
folhosa etc. O curso dos eventos recebe o apropriado nome de alternação de gerações. Vocês podem, se desejarem, ver o caso do homem
e de outros animais da mesma forma. Mas, então, o "gametófito"
terá, como regra, uma geração unicelular muito curta, espermatozoide ou óvulo, conforme o caso. Nossos "esporos" são as células reservadas a partir das quais, por meiose, inicia-se a geração unicelular.

A grande relevância da divisão redutiva

O evento importante e realmente decisivo no processo de reprodução do indivíduo não é a fertilização, mas a meiose. Um conjunto
de cromossomos provém do pai, outro, da mãe. Nem chance, nem
destino podem interferir nisso. Todo homem[6] deve exatamente metade de sua herança a sua mãe, e a outra metade ao pai. Que uma
ou outra das correntes pareça às vezes prevalecer é devido a outras
razões, que veremos adiante. (O sexo é, evidentemente, a instância
mais simples dessa prevalência.)

---

6 Da mesma forma, toda *mulher*. Para evitar prolixidade, exclui do Sumário a esfera
   altamente interessante da determinação do sexo e das características ligadas ao
   sexo (como, por exemplo, o chamado daltonismo).

38 ERWIN SCHRÖDINGER

Mas quando se traça a origem de nossa herança até os avós, o caso é diferente. Permitam-me fixar a atenção em meu conjunto paternal de cromossomos, em particular, em um deles, digamos, o número 5. Ele é uma réplica fiel ou do número 5 que meu pai recebeu de seu pai ou do número 5 que ele recebeu de sua mãe. A questão foi decidida por uma probabilidade 50:50 na meiose que aconteceu no corpo de meu pai em novembro de 1886 e que produziu o espermatozoide que, alguns dias depois, seria efetivo em me produzir. Exatamente a mesma história poderia ser repetida com respeito aos cromossomos números 1, 2, 3, ..., 24 de meu conjunto paternal e, *mutatis mutandis*, com cada um de meus cromossomos maternais. Além disso, todos os 48 cromossomos são inteiramente independentes. Mesmo que se soubesse que meu cromossomo paternal número 5 veio de meu avô Josef Schrödinger, o número 7 ainda teria a mesma chance de ter vindo ou dele ou de sua esposa Marie, nascida Marie Bogner.

Crossing-over. Localização das características hereditárias

Mas a sorte pura e simples tem um papel ainda mais importante na mistura da herança parental na progênie do que poderia parecer a partir da descrição precedente. Além disso, ficou tacitamente suposto que um cromossomo em particular era ou do avô ou da avó ou, noutras palavras, que cromossomos individuais são mantidos íntegros ao serem passados adiante. De fato, não é assim, ou não é sempre assim. Antes de serem separados na divisão redutiva – no corpo do pai, digamos – quaisquer dois cromossomos "homólogos" entram em estreito contato entre si, durante o qual, às vezes, trocam porções inteiras, tal como ilustrado na Figura 6. Por esse processo, chamado *crossing-over*, duas características situadas nas respectivas partes daquele cromossomo serão separadas no neto, que seguirá o avô em uma delas e a avó na outra. O *crossing-over*, não sendo nem muito raro, nem muito frequente, dá-nos muita informação acerca da localização das características hereditárias nos cromossomos. Para termos uma imagem completa, devemos lançar mão de conceitos que só serão introduzidos no próximo capítulo (por exemplo, heterozigose, dominância etc.). Porém, como isso nos levaria para muito além do âmbito deste pequeno livro, permitam-me indicar de uma vez o ponto mais relevante.

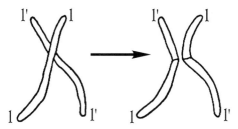

FIGURA 6 – Crossing-over. À esquerda: os dois cromossomos homólogos em contato. À direita: depois da permuta e separação.

Se não houvesse *crossing-over*, duas características pelas quais fosse responsável o mesmo cromossomo seriam sempre passadas adiante juntas, e nenhum descendente que recebesse uma deixaria de receber a outra. Mas duas características devidas a diferentes cromossomos, ou teriam probabilidade 50:50 de ficarem separadas ou ficariam invariavelmente separadas, o último caso ocorrendo quando elas estivessem localizadas em cromossomos homólogos do mesmo ancestral, que jamais podem seguir adiante juntos.

Essas regras e oportunidades sofrem interferência do *crossing--over*. Portanto, a probabilidade desse evento pode ser avaliada pelo registro cuidadoso da composição percentual da progênie em longos experimentos de cruzamento, planejados com esse propósito. Ao se analisarem as estatísticas, aceita-se a sugestiva hipótese de trabalho de que a "ligação" entre duas características situadas no mesmo cromossomo é tão menos frequentemente quebrada pelo *crossing-over* quanto mais próximas estiverem entre si. Nesse caso, é menor a possibilidade de o ponto de permutação estar entre elas, enquanto propriedades localizadas perto das extremidades opostas dos cromossomos estão separadas por todos os *crossing-overs*. (O mesmo se aplica às propriedades de recombinação localizadas em cromossomos homólogos do mesmo ancestral.) Dessa forma, espera-se obter, a partir da "estatística de ligação", um tipo de "mapa de propriedades" dentro de todo cromossomo.

Essas antecipações foram totalmente confirmadas. Nos casos em que testes foram extensamente aplicados (principalmente, mas não apenas, em *Drosophila*) as propriedades testadas realmente se dividem em tantos grupos separados (sem ligação de grupo para grupo) quanto o número de cromossomos diferentes (quatro na *Drosophila*). Pode--se construir, dentro de todo grupo, um mapa linear de propriedades que avalia quantitativamente o grau de ligação entre quaisquer duas pertencentes ao grupo, de forma a que restam poucas dúvidas de que

40 ERWIN SCHRÖDINGER

elas estão realmente localizadas ao longo de uma linha, como é sugerido pela forma de bastão do cromossomo. Evidentemente, o esquema do mecanismo da hereditariedade, tal como esboçado aqui, é bastante incompleto, insípido e mesmo ingênuo. Pois, até agora, não dissemos exatamente o que entendemos por uma propriedade. Não parece adequado nem possível dissecar em "propriedades" discretas o padrão de um organismo, o qual é essencialmente uma unidade, um "todo". O que realmente afirmamos em cada caso particular é que um par de ancestrais era diferente em um certo aspecto bem definido (por exemplo, um tinha olhos azuis, e o outro, castanhos) e que a progênie mostrará um ou outro desses aspectos. O que fomos capazes de localizar no cromossomo foi o sítio dessa diferença. (Chamamo-lo, em linguagem técnica, *locus* ou, se pensarmos na hipotética estrutura material que o sustenta, "gene".) Diferença de propriedade, de meu ponto de vista, é o conceito realmente fundamental, mais importante que a própria propriedade, apesar da aparente contradição lógica e linguística dessa afirmação. As diferenças de propriedades são realmente discretas, como se verá no próximo capítulo, quando falarmos de mutações, e o árido esquema apresentado até aqui vai adquirir, espero, mais vida e cor.

Tamanho máximo de um gene

Acabamos de introduzir o termo gene para designar o material hipotético portador de uma característica hereditária definida. Devemos agora enfatizar dois pontos que serão sobremaneira relevantes para nossa investigação. O primeiro é o tamanho – ou, melhor, o tamanho máximo – de tal portador; noutras palavras, qual o menor volume a que podemos atribuir uma localização? O segundo ponto será o da permanência do gene, a ser inferida da durabilidade do padrão hereditário.

Sobre o tamanho, existem duas estimativas inteiramente independentes, uma apoiada em evidência genética (experimentos de cruzamento) e a outra apoiada em evidência citológica (inspeção microscópica direta). A primeira é, em princípio, bastante simples. Depois de ter, da forma descrita acima, localizado num cromossomo particular (por exemplo, da mosca *Drosophila*) um número considerável de diferentes características de larga escala, precisamos apenas dividir o comprimento medido desse cromossomo pelo número de características

O QUE É VIDA? 41

e multiplicar o resultado pela seção transversal. Pois, evidentemente, contamos como diferentes apenas aquelas características que são ocasionalmente separadas por *crossing-over*, de tal forma que elas não possam ser devidas à mesma estrutura (microscópica ou molecular). Por outro lado, é claro que nossa estimativa poderá dar apenas um tamanho máximo, já que o número de características isoladas por análise genética cresce continuamente com o progresso da pesquisa. A outra estimativa, embora baseada na inspeção microscópica, é bem menos direta. Certas células de *Drosophila* (para ser preciso, as das glândulas salivares) são, por algum motivo, muito grandes, e assim também são seus cromossomos. Nos filamentos, é possível distinguir um padrão denso de bandas escuras transversais. C. D. Darlington observa que o número dessas bandas (2.000, no caso que ele emprega), embora consideravelmente maior, é grosseiramente da mesma ordem de magnitude do número de genes localizados naquele cromossomo, sendo este número determinado por experimentos de cruzamento. Ele está inclinado a considerar essas bandas como indicadores dos próprios genes (ou separações de genes). Dividindo o comprimento do cromossomo, medido em uma célula de tamanho normal, pelo número de bandas (2.000), ele mostrou que o volume de um gene é igual ao de um cubo de 300 Å de aresta. Levando em conta o caráter imperfeito das estimativas, podemos considerar este o tamanho que se obtém também pelo primeiro método.

Números pequenos

Mais tarde, discutiremos a implicação da física estatística sobre todos os fatos que estou expondo – ou talvez deva dizer a implicação desses fatos sobre o uso da física estatística na célula viva. Mas permitam-me chamar a atenção para o fato de que 300 Å é apenas 100 ou 150 distâncias atômicas em um líquido ou sólido, de forma que um gene não contém mais que um milhão ou uns poucos milhões de átomos. Esse número é muitíssimo pequeno (do ponto de vista da $\sqrt{n}$) para garantir um comportamento regrado e ordenado de acordo com a física estatística, o que vale dizer, de acordo com a física. Ele é muito pequeno, mesmo no caso de todos esses átomos desempenharem o mesmo papel, tal como o fazem em um gás ou em uma gota de líquido. E certamente o gene não é uma gota homogênea de líquido. É, provavelmente,

42   ERWIN SCHRÖDINGER

uma grande molécula proteica, na qual todo átomo, todo radical, todo anel heterocíclico desempenha um papel individual, mais ou menos diferente daqueles desempenhados por quaisquer dos outros átomos, radicais ou anéis similares. Essa é, pelo menos, a opinião de grandes geneticistas como Haldane e Darlington, e logo teremos de nos referir a experimentos que praticamente a corroboram.

Permanência

Voltemo-nos agora para a segunda e altamente relevante questão: qual o grau de permanência que encontramos nas propriedades hereditárias e o que, portanto, devemos atribuir às estruturas materiais que as portam?

A resposta a isso, na verdade, pode ser dada sem qualquer investigação especial. O simples fato de falarmos de propriedades hereditárias indica que reconhecemos ser a permanência algo quase absoluto. Pois não devemos nos esquecer de que aquilo que foi passado dos pais à criança não é esta ou aquela peculiaridade, como um nariz adunco, dedos curtos, tendência ao reumatismo, hemofilia, dicromasia etc. Podemos, por conveniência, selecionar essas características para estudo das leis da hereditariedade. Mas, na verdade, é o padrão total (tetradimensional) do "fenótipo", a natureza visível e manifesta do indivíduo que é reproduzido por gerações sem alterações apreciáveis, permanente por séculos – embora não por dezenas de milhares de anos – e carregado em cada transmissão pela estrutura material do núcleo das duas células que se unem para formar a célula-ovo fertilizada. Essa é a maravilha, acima da qual só uma existe; uma que, embora intimamente ligada a ela, ainda assim se coloca em um plano diferente. Refiro-me ao fato de que nós, cujo ser total está completamente baseado em um maravilhoso inter-relacionamento desse tipo, possuamos, além disso, o poder de adquirir considerável conhecimento acerca do assunto. Acho possível que esse conhecimento possa avançar até a compreensão quase completa da primeira maravilha. A segunda pode bem estar além do entendimento humano.

3

MUTAÇÕES

Und was in schwankender Erscheinung schwebt,
Befestiget mit dauernden Gedanken.[1]
Goethe

Mutações "por saltos" – a base da seleção natural

Os fatos gerais que até aqui apresentamos em prol da durabilidade atribuída à estrutura do gene são-nos talvez familiares demais para que sejam notáveis ou considerados convincentes. Neste caso, o dito comum de que a exceção prova a regra é verdadeiro. Se não houvesse exceções à semelhança entre crianças e pais, teríamos sido privados não apenas de todos esses belos experimentos que nos têm revelado o detalhado mecanismo da hereditariedade, mas também do grande, milhões de vezes repetido experimento da Natureza, que forja as espécies por seleção natural e sobrevivência do mais apto.

Permitam-me fazer desse último e importante tema o ponto de partida para a apresentação de fatos relevantes – de novo com as desculpas e o lembrete de que não sou um biólogo:

Hoje, sabemos em definitivo que Darwin estava errado ao considerar as variações pequenas, contínuas e acidentais que ocorrem necessariamente mesmo nas populações mais homogêneas como o material

---

1 "E o que paira na aparência flutuante,/Fixaremos por pensamentos duradouros."

sobre o qual atua a seleção natural. Pois foi demonstrado que elas não são herdadas. Esse fato é importante o bastante para merecer uma breve ilustração. Se se tomar uma cultura de uma linhagem pura de cevada e medir, espiga a espiga, o comprimento de suas barbas e representar, graficamente, o resultado das estatísticas, será obtida uma curva em forma de sino, como a mostrada na Figura 7, em que se representa a relação entre o número de determinadas espigas e o comprimento atingido pelas respectivas barbas. Em outras palavras, prevalece uma média de comprimento definida, e desvios em qualquer das direções ocorrem com frequências dadas. Tome-se agora um grupo de espigas (como o indicado pelo sombreado) com barbas de tamanho visivelmente acima da média, mas em número suficiente para serem semeadas em um campo e darem uma nova safra. Fazendo a mesma estatística para esse grupo, Darwin teria esperado encontrar a curva correspondente desviada para a direita. Noutras palavras, ele teria esperado produzir por seleção um aumento do comprimento médio das barbas. Esse não é o caso se se tiver usado realmente uma linhagem pura de cevada. A nova curva estatística, obtida a partir da safra selecionada, é idêntica à primeira e o mesmo teria acontecido se tivessem sido escolhidas para semeadura espigas de barbas particularmente curtas. A seleção não tem efeito porque as variações pequenas e contínuas não são herdadas. Obviamente, elas não estão baseadas na estrutura da substância hereditária; são acidentais. Mas, há cerca de 40 anos, o holandês De Vries descobriu que na prole, mesmo das linhagens mais puras, um pequeno número de indivíduos – digamos, dois ou três em dezenas de milhares – aparecem com uma alteração pequena, mas "por salto", essa expressão não quer dizer que a alteração é muito considerável, mas apenas que há uma descontinuidade, uma vez que não existem formas intermediárias entre os não modificados e os poucos que sofrem alterações. De Vries chamou a isso mutação. O fato significativo é a descontinuidade. Ela lembra ao físico a teoria quântica – não ocorrem energias intermediárias entre dois níveis de energia vizinhos. O físico estaria tentado a chamar a teoria da mutação de De Vries, de forma figurada, teoria quântica da biologia. Veremos mais tarde que isso é muito mais que figurado. Na verdade, as mutações são devidas a saltos quânticos na molécula do gene. Mas a teoria quântica tinha apenas dois anos de idade quando De Vries publicou sua descoberta, em 1902. Não é de admirar que tenha sido necessária uma outra geração para que a íntima conexão fosse descoberta!

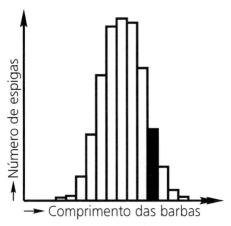

FIGURA 7 – Estatística do comprimento das barbas em uma safra de linhagem pura. O grupo sombreado será selecionado para semeadura. (Os detalhes não vêm de um experimento real; foram apenas montados para ilustração.)

Eles se cruzam perfeitamente, isto é, são perfeitamente herdados

Mutações são herdadas tão perfeitamente quanto as características originais, não alteradas, o eram. Para dar um exemplo, na primeira safra de cevada considerada acima, umas poucas espigas poderiam ter barbas de tamanho consideravelmente fora da amplitude de variação mostrada na Figura 7, digamos mesmo sem qualquer barba. Isso representaria uma mutação de De Vries e deveria, portanto, cruzar-se perfeitamente, o que quer dizer que seus descendentes, da mesma forma, não teriam barbas.

Assim, uma mutação é definida como uma alteração no patrimônio hereditário e deve ser explicada a partir de alguma alteração na substância hereditária. De fato, a maior parte dos experimentos importantes de reprodução, que nos têm revelado o mecanismo da hereditariedade, consistiram na análise cuidadosa da prole obtida por cruzamento, de acordo com um plano preconcebido, de indivíduos mutantes (ou, em muitos casos, multimutantes) com indivíduos não mutantes ou diferentemente mutantes. Por outro lado, em virtude de se reproduzirem perfeitamente, as mutações são um material conveniente sobre o qual pode atuar a seleção natural para produzir as espécies, tal

46 ERWIN SCHRÖDINGER

como descrito por Darwin, eliminando os não adaptados e deixando que os mais aptos sobrevivam. Na teoria de Darwin, é preciso apenas substituir "leves variações acidentais" por "mutações" (assim como a teoria quântica substitui "transferência contínua de energia" por "salto quântico"). Em todos os outros aspectos, pouca mudança é necessária na teoria de Darwin, se interpreto corretamente a avaliação da maior parte dos biólogos.[2]

Localização. Recessividade e dominância

Devemos agora revisar alguns fatos e noções fundamentais sobre mutações, novamente de maneira levemente dogmática, sem mostrar diretamente de onde eles se originam, um a um, a partir da evidência experimental.

Devemos esperar que uma mutação definida que tenha sido observada seja causada por uma alteração em uma região definida de um dos cromossomos. E assim é. É importante afirmar que sabemos em definitivo que se trata de uma alteração em apenas um dos cromossomos, mas não no *locus* correspondente no cromossomo homólogo. A Figura 8 indica isso de forma esquemática, a cruz denotando o *locus* onde houve a mutação. O fato de que apenas um cromossomo é afetado é revelado quando o indivíduo mutante (frequentemente chamado apenas "mutante") é cruzado com um não mutante. Pois exatamente metade da prole exibirá o caractere mutante, e a outra metade, o normal. Isso é o que se espera como consequência da separação dos dois cromossomos por meiose no mutante – como é mostrado, muito esquematicamente, na Figura 9. Refere-se a um *pedigree*, representando todos os indivíduos (de três gerações consecutivas) simplesmente pelo par de cromossomos em questão. Por favor, notem que se o mutante tivesse ambos os seus cromossomos afetados, toda a progênie receberia a mesma herança (misturada), diferente daquela de cada indivíduo parental.

---

2 Muito se tem discutido em torno da questão de se a seleção natural não seria auxiliada (senão superada) se acontecesse uma evidente inclinação no sentido de mutações favoráveis ou úteis. Meu ponto de vista pessoal sobre o assunto não vem ao caso. Mas é necessário frisar que o caso de "mutações dirigidas" foi deixado de lado em tudo o que segue. Além disso, não posso entrar, aqui, na inter-relação entre "genes interruptores" e "poligenes", mesmo que ela seja importante para o real mecanismo da seleção e evolução.

O QUE É VIDA? 47

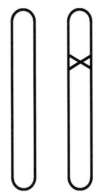

FIGURA 8 – Mutante heterozigoto. A cruz marca o gene que sofreu mutação.

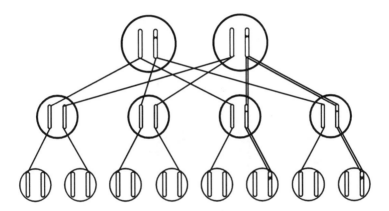

FIGURA 9 – Herança de uma mutação. As linhas retas cruzadas indicam a transferência de um cromossomo, e, as duplas, a transferência do cromossomo portador da mutação. Os cromossomos não explicados da terceira geração vêm das uniões da segunda geração, que não estão incluídas no diagrama. Está suposto que se trata de não parentes, livres da mutação.

Mas fazer experimentos nesse domínio não é tão simples quanto poderia parecer a partir do que acaba de ser dito. Eles são complicados pelo segundo fato importante, a saber, que as mutações são, muito frequentemente, latentes. Que significa isso?

No mutante, as duas "cópias do código" não são idênticas; elas apresentam duas "leituras" ou "versões" diferentes, pelo menos naquele preciso local. Talvez seja conveniente destacar neste momento que, embora possa ser tentador, seria em todo caso inteiramente errado considerar "ortodoxa" a versão original e "herética" a mutante. Devemos considerá-las, em princípio, da mesma forma, pois, afinal, os caracteres normais também vieram de mutações.

O que realmente ocorre é que o "padrão" do indivíduo, como regra geral, segue-se ou de uma ou de outra versão, a qual pode ser a normal ou a mutante. A versão que é seguida é chamada dominante, e a outra, recessiva, conforme ela for ou não imediatamente efetiva na conversão do padrão.

Mutações recessivas são ainda mais frequentes que as dominantes e são muito importantes, embora, de início, não se mostrem à vista. Para afetar o padrão, elas devem estar presentes em ambos os cromossomos (ver Figura 10). Tais indivíduos podem ser produzidos quando dois mutantes igualmente recessivos se cruzam ou quando um mutante se cruza consigo próprio. Esse último caso é possível em plantas hermafroditas, e acontece espontaneamente. Uma reflexão simples mostra que, nesses casos, cerca de um quarto da prole será desse tipo e, portanto, exibirá visivelmente o padrão mutante.

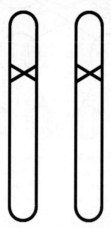

FIGURA 10 – Mutante homozigoto, obtido em um quarto dos descendentes, seja por autofertilização de um mutante heterozigoto (ver Figura 8), seja por cruzamento de dois deles.

Introduzindo alguns termos técnicos

Penso que será esclarecedor explicar aqui alguns termos técnicos. Para o que chamo "versão do código" – seja ela original ou mutante –,

O QUE É VIDA? 49

foi adotado o termo "alelo". Quando as versões são diferentes, como está indicado na Figura 8, o indivíduo é chamado heterozigoto com respeito àquele *locus*. Quando são iguais, como acontece no indivíduo não mutante ou no caso da Figura 10, eles são chamados homozigotos. Assim, um alelo recessivo influencia o padrão apenas quando homozigoto, enquanto um alelo dominante produz o mesmo padrão, seja ele homozigoto ou apenas heterozigoto. A cor é, frequentemente, dominante sobre a ausência de cor (ou branco). Assim, por exemplo, uma ervilha dará flores brancas apenas quando tem o "alelo recessivo responsável pelo branco" em ambos os cromossomos em questão, quando é "homozigótica para o branco"; ela se cruzará perfeitamente, ou seja, todos os seus descendentes serão brancos. Mas um "alelo vermelho" apenas (sendo o outro branco; "heterozigoto") fará que ela dê flores vermelhas, da mesma forma como aconteceria se os dois alelos fossem vermelhos ("homozigoto"). A diferença dos dois últimos casos só se mostrará na prole, quando o vermelho heterozigoto produzirá alguns descendentes brancos e o homozigoto vermelho terá descendentes todos iguais.

O fato de que dois indivíduos possam ser perfeitamente iguais em sua aparência exterior e, ainda assim, diferirem em sua herança, é tão importante que uma diferenciação exata é desejável. O geneticista diz que ambos têm o mesmo fenótipo, mas genótipos diferentes. O conteúdo dos parágrafos precedentes poderia, dessa forma, ser sumariado na afirmação breve, porém altamente técnica: um alelo recessivo influencia o fenótipo apenas quando o genótipo é homozigoto.

Usaremos essas expressões técnicas ocasionalmente, mas seu significado será recapitulado para o leitor quando necessário.

O efeito danoso do intercruzamento

Mutações recessivas, na medida em que são apenas heterozigotas, não constituem, é claro, material de trabalho para a seleção natural. Se são prejudiciais, como frequentemente as mutações o são, ainda assim não serão eliminadas, uma vez que ficam latentes. Assim, uma grande quantidade de mutações desfavoráveis pode se acumular, sem causar dano imediato. Mas elas são, evidentemente, transmitidas para metade da prole e isso tem uma importante aplicação para o homem, o gado, as aves ou qualquer outra espécie cujas boas qualidades físicas nos

50 ERWIN SCHRÖDINGER

digam respeito imediato. Na Figura 9, supõe-se que um indivíduo macho (digamos, para sermos concretos, eu mesmo) porta uma mutação heterozigótica prejudicial, de tal forma que ela não se manifesta. Suponhamos que minha esposa está livre disso. Então, metade de nossas crianças (segunda linha) também a portará, novamente de forma heterozigótica. Se todas elas são de novo cruzadas com parceiros não mutantes (omitidos do diagrama para evitar confusão), metade de nossos netos, na média, será afetada da mesma forma.

Não há nenhum perigo de o mal se tornar manifesto, a menos que indivíduos igualmente afetados sejam cruzados entre si, em cujo caso, como o mostra uma reflexão simples, um quarto de suas crianças, sendo homozigotos, manifestaria a característica danosa. Um perigo quase tão grande quanto a autofertilização (possível apenas em plantas hermafroditas) seria o casamento entre um filho e uma filha meus. Tendo cada um deles chances iguais de serem ou não afetados, um quarto dessas uniões incestuosas seriam perigosas, uma vez que um quarto de suas crianças manifestaria a característica danosa. O fator de perigo para uma criança nascida do incesto seria assim de 1:16.

Da mesma forma, o fator de perigo seria de 1:64 para a prole da união entre dois netos meus que sejam primos em primeiro grau (desde que eles mesmos não tenham vindo de uma relação incestuosa). Essa não parece ser uma ocorrência muito ruim e, na verdade, o segundo caso é usualmente tolerado. Mas não se esqueçam de que analisamos as consequências de apenas uma lesão latente em um dos parceiros do casal parental ("eu e minha esposa"). Na verdade, é bem provável que ambos abriguem mais de uma deficiência latente desse tipo. Se você sabe que possui uma, deve considerar que 1 em cada 8 de seus primos possuem-na também! Experimentos com plantas e com animais parecem indicar que, além das deficiências sérias (comparativamente raras), parece existir uma série de deficiências menores cujas chances se combinam para deteriorar como um todo a prole dos intercruzamentos. Uma vez que não mais estamos inclinados a eliminar as falhas da forma dura como os lacedemônios faziam no monte Taigeto, devemos tomar seriamente o problema no caso do homem, em que a seleção natural do mais apto é muito cerceada, quase virada do avesso. O efeito antissseletivo da moderna mortandade em massa de jovens saudáveis de todas as nações é mal e mal contrarrestado pela consideração de que, em condições mais primitivas, a guerra possa ter tido um valor seletivo positivo ao permitir que a tribo mais adaptada sobrevivesse.

O QUE É VIDA? 51

Observações gerais e históricas

É surpreendente o fato de que o alelo recessivo, quando heterozigoto, seja completamente sobrepujado pelo dominante e não produza qualquer efeito. Deve ao menos ser mencionado que existem exceções a esse comportamento. Quando a boca-de-leão branca homozigótica é cruzada com a boca-de-leão carmim, igualmente homozigótica, todos os descendentes imediatos têm uma cor intermédia, isto é, são cor-de-rosa (e não carmim, como seria de esperar). Um caso muito mais importante de dois alelos exibindo sua influência simultaneamente acontece nos grupos sanguíneos, embora não possamos nos deter no assunto aqui. Não ficarei surpreso se, a longo prazo, a recessividade se mostrar capaz de graus e depender apenas da sensibilidade dos testes que se aplicam para o exame do "fenótipo".

Este é, talvez, o momento para uma palavra sobre a história dos primeiros tempos da genética. A espinha dorsal da teoria, a lei da hereditariedade, segundo a qual as gerações sucessivas recebem características com respeito às quais os pais diferem e, em especial, a importante distinção recessivo-dominante, devem-se ao abade agostino Gregor Mendel (1822-1884), hoje mundialmente famoso. Mendel nada sabia acerca de mutações e de cromossomos. Nos jardins de sua clausura, em Brünn (Brno), fez experimentos com ervilhas de jardim, das quais cultivava diferentes variedades, cruzando-as e observando sua descendência nas primeira, segunda, terceira... gerações. Pode-se dizer que ele realizava experiências com mutantes que encontrava prontos na natureza. Publicou seus resultados já em 1866, nas Atas da *Naturforschender Verein in Brünn*. Ninguém pareceu se interessar pelo passatempo do abade e ninguém, certamente, teve a menor noção de que sua descoberta se tornaria, no século XX, a estrela-guia de um ramo inteiramente novo da ciência, sem dúvida o mais interessante em nossos dias. Seu ensaio foi esquecido e redescoberto apenas em 1900, simultânea e independentemente, por Correns (Berlim), De Vries (Leiden) e Tschermak (Viena).

A necessidade de a mutação ser um evento raro

Até aqui, tendemos a fixar nossa atenção nas mutações danosas, que talvez sejam as mais numerosas. Mas é preciso afirmar categoricamente que também se encontram mutações vantajosas. Se uma

52 ERWIN SCHRÖDINGER

mutação espontânea é um pequeno passo no desenvolvimento das espécies, temos a impressão de que alguma alteração é "tentada" de maneira mais ou menos aleatória, com o risco de ser prejudicial, caso em que é automaticamente eliminada. Isso traz à tona um ponto muito importante. A fim de constituírem material conveniente para o trabalho da seleção natural, as mutações têm de ser eventos raros, como realmente o são. Se fossem tão frequentes que houvesse uma probabilidade considerável de ocorrerem, digamos, doze diferentes mutações no mesmo indivíduo, as prejudiciais iriam, como regra, predominar sobre as vantajosas, e as espécies, em lugar de serem melhoradas pela seleção, permaneceriam na mesma ou pereceriam. O conservadorismo comparativo que resulta do alto grau de permanência dos genes é essencial. Pode-se lançar mão de uma analogia com o funcionamento de uma grande fábrica manufatora. Para desenvolver métodos melhores, inovações devem ser tentadas, mesmo que ainda sem comprovação. Mas, para avaliar se as inovações melhoram ou pioram o resultado, é essencial que elas sejam introduzidas uma por vez, com todas as outras partes do mecanismo mantidas constantes.

Mutações induzidas por raios X

Devemos agora passar em revista uma engenhosíssima série de pesquisas em genética, que constituirá o aspecto mais relevante de nossa análise.

A percentagem de mutações na prole, a chamada taxa de mutação, pode ser ampliada para um múltiplo da taxa natural de mutação ao se irradiar os indivíduos parentais com raios X ou raios Y. As mutações assim produzidas de forma alguma diferem (exceto por serem mais numerosas) daquelas que ocorrem espontaneamente, e tem-se a impressão de que toda mutação "natural" pode ser também induzida por raios X. Na *Drosophila*, várias mutações especiais ocorrem espontaneamente muitas e muitas vezes, em grandes culturas. Elas foram localizadas no cromossomo, como descrito nas páginas 36-8, e lhes foram dados nomes especiais. Chegaram a ser encontrados "alelos múltiplos", isto é, duas ou mais "versões" ou "leituras" – além da normal, não mutante – do mesmo local do código no cromossomo. Isso quer dizer não apenas duas, mas três ou mais alternativas naquele *locus* particular, qualquer duas delas mantendo entre si a relação "dominante-recessivo" quando ocorrem simultaneamente em seus *loci* correspondentes dos dois cromossomos homólogos.

O QUE É VIDA?   53

Os experimentos com mutações induzidas por raios X dão a impressão de que toda "transição" particular, por exemplo, de um indivíduo normal a um dado mutante, ou conversamente, tem seu "coeficiente raio X" individual, que indica a percentagem da prole que se torna mutante para essa característica particular quando uma unidade de raios X é aplicada aos indivíduos parentais antes que a prole tenha sido gerada.

Primeira lei. A mutação é um evento singular

Além disso, as leis que governam a taxa de mutação induzida são extremamente simples e esclarecedoras. Sigo aqui o relatório de N. W. Timoféëff, publicado na *Biological Reviews*, v.9, 1934. Muito do artigo se refere ao belo trabalho do próprio autor. A primeira lei diz:

(1) *O aumento é exatamente proporcional à dosagem dos raios, de tal modo que se pode falar (tal como fiz) de um coeficiente de aumento.*

Estamos tão acostumados à proporcionalidade simples que tendemos a subestimar as consequências de longo alcance dessa lei elementar. Para percebê-las, podemos lembrar-nos de que o preço de um bem, por exemplo, nem sempre é proporcional à sua quantidade. Em épocas normais, um comerciante pode ficar tão impressionado por lhe comprarmos seis laranjas que, se decidirmos levar uma dúzia, ele poderá vendê-la por menos do dobro do preço das seis. Em tempos de escassez, o oposto pode acontecer. No caso presente, concluímos que a primeira meia dose de radiação, tendo causado, digamos, mutação em um em cada mil descendentes, em nada influenciou os restantes, seja no sentido de predispô-los ou de imunizá-los com respeito a mutações. Pois, de outra forma, a segunda meia dose não daria novamente uma mutação em mil. A mutação, portanto, não é um efeito cumulativo, causado por pequenas porções consecutivas de radiação que se reforçam mutuamente. Ela deve consistir em algum evento singular que ocorre em um cromossomo durante a irradiação. Que tipo de evento?

Segunda lei. Localização do evento

Isso é respondido pela segunda lei, que é:

(2) *Se variarmos a qualidade dos raios (comprimento de onda) dentro de limites largos, de fracos raios X a fortes raios γ, o coeficiente permanece*

54 ERWIN SCHRÖDINGER

constante, desde que se administre a mesma dosagem, medida nas assim chamadas unidades-r, ou seja, desde que se meça a dosagem pela quantidade total de íons produzidos por unidade de volume numa substância-padrão convenientemente escolhida, durante o tempo e no local em que os indivíduos parentais foram expostos aos raios.

Como substância-padrão, escolhe-se o ar, não apenas por conveniência, mas também pela razão de que os tecidos orgânicos são compostos de elementos cujos pesos atômicos, em média, são os mesmos que os do ar. Obtém-se um limite inferior para a quantidade de ionizações ou processos afins[3] (excitações) no tecido pela simples multiplicação do número de ionizações no ar pela razão das densidades. Assim, é bastante óbvio, e confirmado por investigação mais crítica, que o evento singular que causa a mutação é apenas uma ionização (ou processo semelhante) que ocorre no interior de um volume "crítico" da célula germinativa. Qual o tamanho desse volume crítico? Ele pode ser estimado a partir da taxa de mutação observada, através da seguinte consideração: se uma dosagem de 50.000 íons por cm^3 produz uma alteração de apenas 1:1.000 para que qualquer gameta em particular (que se encontre no local irradiado) sofra determinada mutação, concluímos que o volume crítico, o "alvo" que deve ser "atingido" por uma ionização para que a mutação ocorra, é apenas 1/1.000 de 1/50.000 de um cm^3, ou seja, um quinquagésimo-milionésimo de cm^3. Os números não são corretos, mas são usados apenas com propósitos ilustrativos. Na estimativa real, seguimos M. Delbrück, em um artigo dele, de N. M. Timoféëff e K. G. Zimmer,[4] que é também a principal fonte da teoria que será exposta nos próximos dois capítulos. No artigo, ele chega a um tamanho de apenas cerca de dez distâncias atômicas médias cúbicas, contendo portanto apenas 10^3 = mil átomos. A interpretação mais simples desse resultado é que existe uma boa chance de produzir aquela mutação no caso em que uma ionização (ou excitação) ocorra em não mais que a "10 átomos de distância" de algum ponto em particular do cromossomo. Agora, discutiremos isso em maior detalhe.

O artigo de Timoféëff contém uma sugestão prática que não posso deixar de mencionar aqui, embora ela não tenha, evidentemente, nenhuma relação com nossa atual investigação. Existem muitas

---

3 Um limite inferior, porque esses outros processos escapam à medida de ionização, embora sejam eficientes na produção de mutações.
4 Nachr. a. d. Biologie d. Ges. d. Wiss. *Göttingen,* v.1, p.180, 1935.

O QUE É VIDA? 55

ocasiões na vida moderna em que uma pessoa tem de se expor aos raios X. Os perigos diretos envolvidos, tais como queimaduras, câncer induzido por raios X e esterilização, são bem conhecidos e se dá proteção com telas de chumbo ou jaquetas providas de chumbo, especialmente para enfermeiras e médicos que precisem manipular esses raios regularmente. O ponto é que, mesmo quando esses perigos iminentes para o indivíduo são evitados, parece haver o perigo indireto de pequenas mutações prejudiciais produzidas nas células germinativas, mutações do tipo que tínhamos em mente quando falamos dos resultados desfavoráveis do intercruzamento. Colocando a questão drasticamente, embora talvez de forma um pouco ingênua, o perigo de um casamento entre primos de primeiro grau pode ser muito agravado pelo fato de a avó ter trabalhado por muito tempo como enfermeira manipulando raios X. Esse não é um ponto que deva preocupar ninguém pessoalmente. Mas qualquer possibilidade de infectar gradualmente a raça humana com mutações latentes indesejadas deve ser tema de preocupação para a comunidade.

4
A EVIDÊNCIA DA MECÂNICA QUÂNTICA

Und deines Geistes höchster Feuerflug
Hat schon am Gleichnis, hat am Bild genug.[1]
Goethe

A permanência é inexplicável pela física clássica

Assim, auxiliados pelo maravilhosamente sutil instrumento dos raios X (que, como o físico se lembra, revelaram, 30 anos atrás, a detalhada estrutura atômica reticulada dos cristais), os esforços conjuntos de biólogos e de físicos têm sido ultimamente bem-sucedidos em reduzir o limite superior para o tamanho da estrutura microscópica responsável por uma característica de larga escala do indivíduo – o "tamanho do gene" – e reduzindo-o para bem menos que as estimativas obtidas na página 38. Somos agora seriamente confrontados com a seguinte questão: como podemos, do ponto de vista da física estatística, reconciliar os fatos de que a estrutura do gene parece envolver apenas um número comparativamente pequeno de átomos (da ordem de 100 ou, provavelmente, muito menos) e que, ainda assim, ela exiba uma atividade muito regular e submetida a leis – com uma durabilidade e permanência que se aproxima do milagroso?

Permitam-me realçar novamente essa situação verdadeiramente espantosa. Muitos membros da dinastia dos Habsburgos têm uma

---

1 "E o voo ardente de teu espírito aquiesce em uma imagem, em uma parábola."

58 ERWIN SCHRÖDINGER

deformação peculiar do lábio inferior ("Habsburger Lippe"). Sua herança foi cuidadosamente estudada e publicada, acompanhada de retratos históricos, pela Academia Real de Viena, contando com os auspícios da própria família. A característica se apresenta como um "alelo" genuinamente mendeliano da forma normal do lábio. Fixando nossa atenção em um retrato de um membro da família no século XVI e em um seu descendente, vivendo no XIX, podemos seguramente supor que a estrutura material do gene responsável pela característica anormal foi portada de geração a geração pelos séculos, fielmente reproduzida em cada uma das não muito numerosas divisões celulares no interregno. Além disso, o número de átomos envolvidos na estrutura do gene responsável é, provavelmente, da mesma ordem de magnitude do número de átomos nos casos testados com raios X. O gene foi mantido a uma temperatura de 98ºF [36,7ºC] durante todo o tempo. Como devemos entender que ele permaneceu por séculos sem ser perturbado pela tendência para a desordem do movimento térmico?

Um físico do final do século passado ficaria perdido diante dessa questão, se tivesse como apoio apenas as leis da natureza que tivesse condições de explicar e que realmente tivesse entendido. Talvez, na verdade, depois de uma curta reflexão sobre a situação estatística, ele pudesse ter respondido (corretamente, como veremos): essas estruturas materiais só podem ser moléculas. Sobre a existência e, algumas vezes, alta estabilidade das associações entre átomos, a química já tinha adquirido por então um amplo conhecimento. Mas esse conhecimento era puramente empírico. A natureza da molécula não era compreendida. A forte ligação mútua de átomos que mantém a forma de uma molécula era um completo mistério para todos. Na verdade, a resposta se mostra correta. Mas ela tem valor limitado, uma vez que a enigmática estabilidade biológica é atribuída a uma estabilidade química igualmente enigmática. A evidência de que as duas características, similares em aparência, estão baseadas no mesmo princípio, é sempre precária se o princípio permanece desconhecido.

É explicável pela teoria quântica

Neste caso, a explicação é suprida pela mecânica quântica. À luz do conhecimento atual, o mecanismo da hereditariedade está intimamente relacionado com a própria base da teoria quântica – ou melhor, nela fundado. A teoria foi descoberta por Max Planck, em 1900. Pode-se

O QUE É VIDA? 59

datar a genética moderna a partir da redescoberta do artigo de Mendel por De Vries, Correns e Tschermak (1900) e a partir do artigo de De Vries sobre mutações (1901-1903). Assim, o nascimento dessas duas grandes teorias praticamente coincide e não é de surpreender que ambas tivessem de atingir uma certa maturidade antes que a conexão pudesse emergir. Do lado da teoria quântica, foi necessário mais de um quarto de século até que, em 1926-1927, a teoria quântica da ligação química fosse delineada em seus princípios gerais por W. Heitler e F. London. A teoria de Heitler-London envolve as mais sutis e intricadas concepções dos últimos desenvolvimentos da teoria quântica (chamada "mecânica quântica" ou "mecânica ondulatória"). Uma apresentação sem o uso de cálculo é impossível ou, pelo menos, necessitaria de outro volume do tamanho deste. Felizmente, agora que todo o trabalho já foi feito e serve para esclarecer nosso pensamento, parece possível destacar de forma mais direta a conexão entre "saltos quânticos" e mutações, para sublinhar agora o item mais importante. Isso é o que vamos tentar aqui.

A teoria quântica – estados descontínuos – saltos quânticos

A grande revelação da teoria quântica foi que características de descontinuidade foram descobertas no Livro da Natureza, num contexto em que qualquer outra coisa que não fosse continuidade pareceria absurda, de acordo com as concepções mantidas até então.

O primeiro caso desse gênero dizia respeito à energia. Um corpo de grandes dimensões troca energia continuamente. Um pêndulo, por exemplo, depois de colocado em movimento, torna-se gradualmente mais lento, por causa da resistência do ar. Estranhamente, é necessário admitir que um sistema da ordem da escala atômica se comporta de modo diferente. Por razões que não vêm ao caso explicar neste momento, teremos de supor que um sistema pequeno pode possuir, por sua própria natureza, apenas quantidades discretas de energia, denominadas os seus níveis peculiares de energia. A transição de um estado para o outro é um fenômeno bastante misterioso, usualmente chamado "salto quântico".

Mas a energia não é a única característica de um sistema. Consideremos novamente nosso pêndulo, mas pensemos, agora, num que possa realizar diferentes tipos de movimentos, uma bola pesada suspensa do teto por um fio. Podemos fazê-la oscilar em direção norte-sul,

60 ERWIN SCHRÖDINGER

leste-oeste ou qualquer outra, ou em círculo, ou em elipse. Usando um fole para soprar a bola delicadamente, pode-se fazê-la passar continuamente de um tipo de movimento a qualquer outro.

Para sistemas de pequenas dimensões, a maioria dessas características (ou outras similares) – não podemos entrar em pormenores – altera-se de maneira descontínua. São "quantizadas", assim como acontece com a energia.

O resultado é que, quando se encontram muito próximos, formando um "sistema", núcleos atômicos, incluindo seus guarda-costas, os elétrons, são, em virtude de sua própria natureza, incapazes de adotar qualquer configuração arbitrária que possamos imaginar. Sua própria natureza lhes deixa apenas uma série – muito numerosa, mas descontínua – de "estados" para escolher.[2] Chamamos-lhes normalmente níveis de energia, pois energia é uma parte muito relevante dessa característica. Mas deve ser compreendido que a descrição completa inclui muito mais que energia. É virtualmente correto pensar que um estado é uma configuração definida de todos os corpúsculos.

A transição de uma dessas configurações para outra consiste num salto quântico. Se a segunda registar maior energia (estiver a "um nível superior"), para que a transição seja possível, o sistema deve ser suprido de fora, pelo menos, com a diferença das suas energias. Para um nível inferior, ele pode mudar espontaneamente, desprendendo a energia em excesso, sob a forma de radiação.

Moléculas

Entre o conjunto discreto de estados de uma dada seleção de átomos não é necessário que haja, mas pode haver um nível mais baixo, o que implica uma aproximação maior entre os núcleos. Átomos nesse estado formam uma molécula. O ponto a frisar aqui é que a molécula terá, necessariamente, alguma estabilidade; a configuração não poderá mudar, a não ser que, pelo menos, a diferença de energia necessária para "alçá-la" ao nível de energia seguinte seja suprida a partir de fora. Assim, essa diferença de nível, que é uma quantidade bem definida, determina

---

2 Adoto aqui a versão normalmente dada no tratamento popular do tema e que é suficiente para nosso propósito presente. Mas tenho o remorso de alguém que perpetua um erro conveniente. A verdadeira história é muito mais complicada, já que inclui a indeterminação ocasional com respeito ao estado no qual está o sistema.

O QUE É VIDA? 61

quantitativamente o grau de estabilidade da molécula. Deve-se observar o quanto esse fato se encontra intimamente ligado à base da teoria quântica, ou seja, à descontinuidade do esquema de níveis. Devo pedir ao leitor que parta do princípio de que essa ordem de ideias foi inteiramente verificada por fatos químicos e se mostrou bem sucedida na explicação do fato básico da valência e de muitos outros detalhes acerca da estrutura molecular, tais como energias de ligação, estabilidade a diferentes temperaturas etc. Falo da teoria de Heitler-London, que, tal como já afirmei, não pode ser aqui examinada em detalhe.

Sua estabilidade depende da temperatura

Devemos nos limitar ao exame do ponto de maior interesse para a nossa questão biológica, isto é, a estabilidade de moléculas a diferentes temperaturas. Suponha que nosso sistema de átomos esteja, primeiramente, em seu estado mais baixo de energia. O físico poderia dizer que essa molécula está à temperatura de zero absoluto. Para elevá-la ao estado ou nível de energia seguinte, exige-se um determinado suprimento de energia. A maneira mais simples para tentar fornecer essa energia é "esquentar" a molécula. Pode-se levá-la a um ambiente de temperatura mais elevada ("banho quente"), permitindo assim que outros sistemas (átomos, moléculas) colidam com a ela. Considerando a total irregularidade do movimento térmico, não existe um limite exato de temperatura a que essa "elevação" se processe, certa e imediatamente. Pelo contrário, a qualquer temperatura (diferente do zero absoluto) existe uma certa probabilidade, maior ou menor, para a ocorrência da elevação, probabilidade que aumenta, evidentemente, com a temperatura do banho quente. A melhor maneira de expressar essa probabilidade é indicar o tempo médio que se deve esperar até que a elevação ocorra, o "tempo de espera".

A partir de uma investigação, devida a M. Polanyi e E. Wigner,[3] o "tempo de espera" depende em larga escala da razão entre as duas energias, uma sendo exatamente a energia necessária para que ocorra a elevação (usemos, para ela, W) e, a outra, aquela que caracteriza a

---

3 Zeitschrift für Physik, *Chemie (A)*, Haber-Band, p.439, 1928.

intensidade do movimento térmico à temperatura em questão (usemos, para a temperatura absoluta, T e, para a energia característica, kT).[4] É razoável supor que a chance de que a elevação ocorra é menor e, portanto, o tempo de espera, maior, quanto maior for a própria elevação da temperatura, quando comparada com a energia térmica média, ou seja, quanto maior for a razão $W{:}kT$. Espantoso é verificar o quão enormemente o tempo de espera depende de alterações comparativamente pequenas da razão $W{:}kT$. Vejamos um exemplo (segundo Delbrück): para W igual a 30 vezes kT, o tempo de espera pode ser de apenas 1/10 s, mas se elevaria para 16 meses se W fosse 50 vezes kT e para 30.000 anos com W 60 vezes kT!

Interlúdio matemático

Pode ser interessante colocar em linguagem matemática – para os leitores que a apreciam – a razão desta enorme sensibilidade a alterações de nível ou de temperatura, e acrescentar algumas observações de caráter físico do mesmo gênero. O motivo é que o tempo de espera, chamemos-lhe t, depende da razão W/kT por uma função exponencial, assim,

$$t = \tau e^{W/kT}$$

τ é uma determinada pequena constante da ordem de 10-13 ou 10-14s. Essa função exponencial particular não é uma característica acidental. Ela aparece constantemente na teoria estatística do calor, formando, por assim dizer, a sua espinha dorsal. É uma medida da improbabilidade de uma quantidade de energia da ordem de W juntar-se acidentalmente em algum ponto particular do sistema, e é essa improbabilidade que aumenta tão enormemente quando é necessário um múltiplo considerável da "energia média" kT.

Na verdade, um $W = 30kT$ (veja-se o exemplo dado acima) já é extremamente raro. Que ele não leve a um tempo de espera enormemente longo (apenas 1/10 s, em nosso exemplo) deve-se, evidentemente, à exiguidade do fator τ. Este fator tem um significado físico. É da

---

4 k é uma constante numérica conhecida, chamada constante de Boltzmann; 3/2 kT é a energia cinética média de um átomo num gás à temperatura T.

O QUE É VIDA? 63

ordem do período das vibrações que acontecem o tempo todo no sistema. Seria possível, se se quisesse, descrevê-lo *grosso modo* como significando que a probabilidade de acumular a quantidade exigida *W*, embora muito pequena, ocorre repetidamente "a cada vibração", ou seja, 10^{13} a 10^{14} vezes por segundo.

Primeira correção

Ao oferecer essas considerações como uma teoria da estabilidade da molécula, supôs-se tacitamente que o salto quântico a que chamamos "elevação" leva, senão a uma completa desintegração, pelo menos a uma configuração essencialmente diferente dos mesmos átomos – uma molécula isomérica, como diria um químico, ou seja, uma molécula composta dos mesmos átomos em arranjo diferente (na aplicação à biologia, ela vai representar um "alelo" no mesmo *locus*, e o salto quântico tipificará uma mutação).

Para admitir essa interpretação, dois pontos devem ser corrigidos em nossa história, que propositadamente simplifiquei, para a tornar absolutamente inteligível. Da maneira como apresentei a questão, pode-se imaginar que apenas em seu nível de energia mais baixo nosso grupo de átomos forma o que chamamos uma molécula, e que o estado superior seguinte é "algo diferente". Não é assim. Na verdade, o nível mais baixo é seguido por uma série enorme de níveis que não envolvem nenhuma alteração apreciável na configuração como um todo, correspondendo apenas àquelas pequenas vibrações entre os átomos que mencionamos anteriormente. Elas, também, são "quantizadas", mas com saltos comparativamente menores entre um e outro nível. Assim, o impacto das partículas do "banho quente" pode bastar para promovê-los, mesmo a temperaturas muito baixas. Se a molécula apresenta uma estrutura aumentada, pode-se conceber essas vibrações como ondas sonoras de alta frequência, que atravessam a molécula sem lhe causar dano.

Assim, a primeira correção não é muito séria: temos de desconsiderar a "estrutura fina vibracional" do esquema de níveis. A expressão "nível imediatamente superior" deve ser entendida como significando o nível seguinte que corresponde a uma mudança relevante de configuração.

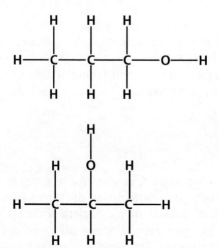

FIGURA 11 – Os dois isômeros do álcool propílico.

Segunda correção

A segunda emenda é bem mais difícil de explicar, pois diz respeito a algumas características vitais, mas bastante complexas, do esquema de níveis relevantemente diferentes. A livre passagem entre dois deles pode ser obstruída sem que isso tenha nada a ver com o suprimento requerido de energia; de fato, ela pode ser obstruída mesmo do nível mais alto para o mais baixo.

Comecemos com fatos empíricos. Os químicos sabem que, para formar uma molécula, o mesmo grupo de átomos pode se unir de mais de uma maneira. Tais moléculas são chamadas isômeros ("consistindo das mesmas partes"; ἴσος = igual; μέρος = parte). Isomerismo não é exceção, é regra. Quanto maior a molécula, mais alternativas de isomerismo existem. A Figura 11 mostra um dos casos mais simples, os dois tipos de álcool propílico, ambos consistindo em 3 carbonos (C), 8 hidrogênios (H) e 1 oxigênio (O).[5] Este último pode ser interposto entre qualquer átomo de hidrogênio e seu respectivo carbono, mas apenas os dois casos mostrados em nossa figura constituem substân-

---

5   Modelos nos quais C, H e O eram representados por esferas de madeira de cores preta, branca e vermelha foram exibidos durante a palestra. Não os reproduzi aqui porque sua semelhança com as moléculas reais não é apreciavelmente maior do que o esquema da Figura 11.

cias diferentes. E são mesmo. Todas as suas constantes físicas e químicas são claramente diferentes. Também suas energias são diferentes, representando "níveis diferentes".

O fato notável é que ambas as moléculas são perfeitamente estáveis, ambas se comportam como se fossem "estados mais baixos". Não existe qualquer transição espontânea de um estado a outro. A razão disso é que as duas configurações não são vizinhas. A transição de uma para a outra só pode acontecer através de configurações intermediárias que têm nível de energia superior ao de qualquer uma delas. Podemos dizer, sem rodeios, que o oxigênio precisa ser extraído de uma posição e colocado na outra. Não parece haver maneira de fazê-lo sem passar por configurações de energia consideravelmente mais alta. Esse estado de coisas é, algumas vezes, representado figurativamente como na Figura 12, na qual 1 e 2 representam os dois isômeros, 3, o "limiar" entre eles e as duas setas indicam as "elevações", ou seja, o fornecimento de energia exigido para produzir a transição do estado 1 para o 2, ou do 2 para o 1, respectivamente.

Agora estamos em condições de formular nossa "segunda correção", que é: transições desse tipo "isomérico" são as únicas em que estaremos interessados em nossa aplicação biológica. Era isso o que tínhamos em mente quando explicamos a "estabilidade", nos itens das p.58-60. O "salto quântico" a que nos referimos é a transição de uma configuração molecular relativamente estável para outra. O suprimento de energia exigido para a transição (a quantidade denotada por W) não é a diferença real entre os níveis, mas o degrau entre o nível inicial e o limiar (vejam-se as setas na Figura 12).

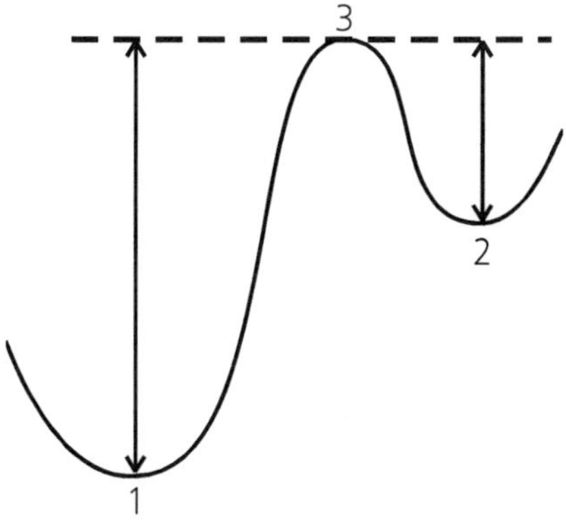

FIGURA 12 – Limiar de energia (3) entre os níveis isoméricos (1) e (2). As setas indicam as energias mínimas necessárias para a transição.

Transições sem limiar interposto entre os estados inicial e final são completamente desprovidas de interesse, e isso não apenas para nossa aplicação biológica. Na verdade, não contribuem em nada para a estabilidade química da molécula. Por quê? Elas não têm efeito duradouro e permanecem despercebidas. Pois, quando ocorrem, são quase imediatamente seguidas por uma recaída ao estado inicial, já que nada impede seu retorno.

5

ANÁLISE E EXPERIMENTAÇÃO DO MODELO DE DELBRÜCK DISCUTIDO E TESTADO

Sane sicut lux seipsam et tenebras manifestat,
sic veritas norma sui et falsi est.[1]
Espinosa, Ética, Pt. II, Prop. 43.

O conceito geral de substância hereditária

Desses fatos emerge uma resposta muito simples à nossa questão, que é: essas estruturas, compostas de um número relativamente pequeno de átomos, serão capazes de resistir por longos períodos à influência perturbadora do movimento térmico a que a substância hereditária está continuamente exposta? Vamos pressupor que a estrutura de um gene seja a de uma molécula enorme, capaz apenas de alterações descontínuas, que consistem no rearranjo dos átomos, e dão origem a uma molécula isomérica.[2] O rearranjo pode afetar apenas uma pequena região do gene e pode ser possível um vasto número de recombinações diferentes. Os limiares de energia que separam a configuração atual de quaisquer outras isoméricas possíveis têm de ser altos o suficiente (comparados com a energia térmica média de um átomo) para fazer que a mudança seja um evento raro. Vamos identificar esses eventos raros como mutações espontâneas.

---

1 "Verdadeiramente, como a luz manifesta-se a si mesma e a escuridão, assim a verdade é o padrão de si mesma e do erro."

2 Por conveniência, continuarei a chamar-lhe transição isomérica, embora seja absurdo excluir a possibilidade de trocas com o ambiente.

As últimas partes deste capítulo serão dedicadas a submeter a teste esse conceito geral de gene e de mutação (devida principalmente ao físico alemão M. Delbrück), através de sua comparação com fatos genéticos. Antes disso, é bom fazer alguns comentários sobre o fundamento e a natureza geral da teoria.

O caráter único do conceito

É absolutamente essencial, para a questão biológica, desentranhar as raízes mais profundas e fundamentar nossa imagem na mecânica quântica? A conjectura de que o gene é uma molécula é, hoje, ouso dizer, lugar comum. Poucos biólogos, estejam eles familiarizados ou não com a mecânica quântica, discordariam dela. Na página 56, tentamos colocá-la na boca de um físico clássico, como a única explicação razoável da permanência que se observa. As considerações subsequentes sobre isomeria, limiar de energia, a importância central da razão $W:kT$ na determinação da probabilidade de uma transição isomérica, todas poderiam ter sido introduzidas numa base totalmente empírica, de qualquer maneira sem se recorrer explicitamente à teoria quântica. Por que então insisti tão fortemente no ponto de vista quântico, embora não pudesse esclarecê-lo neste pequeno livro e corresse o risco de aborrecer o leitor?

A mecânica quântica é o primeiro aspecto teórico que dá conta, a partir de princípios básicos, de todos os agregados de átomos presentes na Natureza. A ligação Heitler-London é uma característica singular e única da teoria e não foi inventada para explicar a ligação química. Ela apareceu por si mesma, de maneira altamente curiosa e intrigante, sendo impingida a nós por considerações inteiramente diferentes. Ela corresponde exatamente aos fatos químicos observados e, como disse, é uma característica única e bem compreendida, a ponto de se poder dizer com razoável certeza que "isso não poderia acontecer de novo" no desenvolvimento posterior da mecânica quântica.

Consequentemente, podemos dizer com segurança que não existe alternativa para a explicação molecular da substância hereditária. O aspecto físico não deixa outra possibilidade para fundamentar sua permanência. Se a imagem traçada por Delbrück falhar, teremos de desistir de outras tentativas. Esse é o primeiro ponto que eu pretendia enfatizar.

Alguns equívocos tradicionais

Porém, é possível perguntar-se: não existem mesmo outras estruturas duráveis compostas de átomos, à exceção de moléculas? Não é verdade que uma moeda de ouro, por exemplo, enterrada por dois milênios em uma tumba, preserva os traços da efígie nela cunhada? É verdade que a molécula consiste em um enorme número de átomos, mas é certo que, nesse caso, não estamos dispostos a atribuir a preservação da forma à estatística dos grandes números. O mesmo se aplica aos cristais que encontramos imersos em rochas, onde permaneceram sem alteração por períodos geológicos. Isso nos leva ao segundo ponto que quero elucidar. Os casos de uma molécula, de um sólido e de um cristal não são realmente diferentes. À luz do conhecimento presente, eles são virtualmente a mesma coisa. Infelizmente, a escola básica mantém alguns pontos de vista tradicionais que já estão ultrapassados há anos e que obscurecem o entendimento do real estado de coisas.

Na verdade, o que aprendemos na escola sobre moléculas não nos dá a ideia de que elas são mais próximas do estado sólido que do líquido ou gasoso. Pelo contrário, aprendemos a distinguir cuidadosamente entre uma alteração física – tal como a fusão ou a evaporação, nas quais as moléculas são preservadas (assim, por exemplo, álcool, seja sólido, líquido ou gasoso, sempre consiste das mesmas moléculas C_2H_6O) – e uma alteração química, como, por exemplo, a combustão do álcool,

$$C_2H_6O + 3O_2 = 2CO_2 + 3H_2O,$$

em que uma molécula de álcool e três de oxigênio sofrem um rearranjo para formarem duas moléculas de dióxido de carbono e três moléculas de água.

Quanto aos cristais, aprendemos que eles formam retículas tridimensionais nas quais a estrutura de uma molécula singular é às vezes reconhecível, como no caso do álcool e na maior parte dos compostos orgânicos, enquanto em outros cristais, como o sal ($NaCl$), por exemplo, as moléculas de $NaCl$ não podem ser inequivocamente determinadas, pois todo átomo de Na está rodeado simetricamente por seis átomos de Cl e vice-versa, de tal forma que é arbitrário dizer quais pares, se é que os há, podem ser considerados parceiros moleculares.

Por fim, aprendemos que um sólido pode ser ou não cristalino e, no último caso, damos-lhe o nome de amorfo.

Diferentes "estados" da matéria

Mas eu não iria tão longe a ponto de dizer que todas essas afirmações e distinções estão erradas. Para fins práticos, elas são, algumas vezes, úteis. Mas no verdadeiro aspecto da estrutura da matéria, os limites devem ser colocados de forma inteiramente diferente. A distinção fundamental está entre as duas linhas do seguinte esquema de "equações":

molécula = sólido = cristal
gás = líquido = amorfo

Devemos de forma breve explicar essas afirmações. Os assim chamados sólidos amorfos ou não são realmente amorfos ou não são realmente sólidos. A estrutura rudimentar do cristal de grafite foi mostrada por raios X na fibra "amorfa" de carvão mineral. Assim, ele é um sólido mas, também, cristalino. Quando não encontramos estrutura cristalina, devemos considerar o material um líquido com "viscosidade" (atrito interno) muito alta. Tal substância mostra, pela ausência de uma temperatura de fusão e de um calor latente de fusão bem definidos, que não é um sólido verdadeiro. Quando aquecido, amolece gradualmente e, por fim, liquefaz-se sem descontinuidade. (Lembro-me de que, no fim da Primeira Grande Guerra, deram-nos, em Viena, uma substância parecida com asfalto como substituta do café. Era tão dura que era preciso usar um cinzel ou um cutelo para quebrar em peças o tijolinho, ocasião em que mostrava uma clivagem lisa, em forma de concha. Ainda assim, passado tempo, ele se comportava como um líquido, sedimentando-se compactamente na parte inferior do frasco, se fôssemos imprudentes o suficiente para abandoná-la ali por uns dias.)

A continuidade entre os estados gasoso e líquido é uma história bem conhecida. Pode-se liquefazer um gás sem descontinuidade, fazendo-o "rodear" o assim chamado ponto crítico. Mas não entraremos aqui nesse tema.

A distinção que realmente importa

Assim, justificamos todos os elementos do esquema acima, exceto o ponto principal, que é: queremos que uma molécula seja considerada um sólido=cristal.

O QUE É VIDA? 71

A razão disso é que os átomos formadores de uma molécula, sejam muitos ou poucos, estão unidos por forças que têm exatamente a mesma natureza que as que unem numerosos átomos em um sólido verdadeiro, um cristal. A molécula apresenta a mesma solidez de estrutura de um cristal. Lembrem-se de que é precisamente nessa solidez que baseamos a fundamentação da permanência de um gene!

A diferença realmente importante na estrutura da matéria é saber se os átomos estão ligados entre si pelas forças "solidificantes" de Heitler-London ou se não o estão. Em um sólido e em uma molécula, todos eles o estão. Em um gás de átomos isolados (por exemplo, vapor de mercúrio), não. Em um gás composto de moléculas, apenas os átomos dentro de cada molécula estão ligados dessa forma.

O sólido aperiódico

Uma pequena molécula pode ser chamada "germe de um sólido". Partindo desse pequeno germe sólido, parece haver dois diferentes caminhos para construir associações cada vez maiores. Um é comparativamente desinteressante e consiste em repetir a mesma estrutura em três direções. Esse é o caminho seguido por um cristal em crescimento. Uma vez estabelecida a periodicidade, não existe limite definido para o tamanho do agregado. O outro modo é construir um agregado cada vez mais extenso, sem usar o monótono expediente da repetição. Esse é o caso da molécula orgânica cada vez mais complexa, na qual todo átomo e todo grupo de átomos tem uma função própria, não inteiramente equivalente à de muitos outros (como no caso de uma estrutura periódica). Podemos muito convenientemente chamar-lhe um cristal ou sólido aperiódico e expressar nossa hipótese como: acreditamos que um gene – ou, talvez, toda a fibra cromossômica[3] – seja um sólido aperiódico.

A variedade de informação condensada no código-miniatura

Já se perguntou muito sobre como pode essa pequena porção de matéria, o núcleo do ovo fecundado, conter um elaborado código que

---

3 Que ela seja altamente flexível não constitui objeção; o fio de cobre também o é.

envolve todo o futuro desenvolvimento do organismo. Uma associação bem ordenada de átomos, dotada de suficiente resistividade para permanentemente manter sua ordem, parece ser a única estrutura material concebível, que permite vários arranjos ("isoméricos") possíveis, suficientemente numerosos para abranger um complexo sistema de "determinações" dentro de um pequeno limite espacial. Na verdade, o número de átomos em tal estrutura não precisa ser muito grande para produzir um número quase ilimitado de arranjos possíveis. Para fins de ilustração, pensem no código Morse. Os dois sinais distintos, ponto e traço, em grupos bem ordenados que não ultrapassam quatro elementos, permitem trinta especificações diferentes. Agora, se vocês se permitirem utilizar mais um sinal, além de ponto e traço, e usarem grupos de não mais de dez elementos, poderiam formar 88.572 "letras" diferentes; com cinco sinais e grupos de até 25, o número seria 372.529.029.846.191.405.

Pode-se objetar que essa analogia é deficiente, porque nossos sinais Morse podem ter diferente composição (por exemplo, .– e ..–) e, assim, são um mau análogo para o isomerismo. Para remediar esse defeito, tomemos, do terceiro exemplo, apenas as combinações exatamente de 25 símbolos e apenas aquelas que contenham precisamente 5 de cada um dos 5 tipos supostos (5 pontos, 5 traços etc.). Uma contagem aproximada fornece um número da ordem de 62.330.000.000.000 combinações, em que os zeros à direita representam dígitos que não me dei ao trabalho de computar.

Evidentemente, no caso real, nunca acontece que "todo" arranjo de átomos vá representar uma possível molécula. Além disso, não se trata da adoção arbitrária de um código, pois o próprio código precisa ser um fator operativo na realização do desenvolvimento. Mas, por outro lado, o número escolhido no exemplo (25) é ainda muito pequeno, e enfocamos apenas os arranjos simples, em uma linha. O que queremos ilustrar é que, com o conceito molecular do gene, já não é inconcebível que o diminuto código corresponda a um plano de desenvolvimento altamente especificado e complexo e deva, de alguma forma, possuir os meios para pô-lo em operação.

Comparação com os fatos: grau de estabilidade; descontinuidade das mutações

Passemos agora à comparação entre a imagem teórica e os fatos biológicos. A primeira questão é, obviamente, se ela pode realmente

O QUE É VIDA? 73

dar conta do grau de permanência que observamos. Os valores limiares da quantidade exigida – múltiplos elevados da energia térmica média kT – serão razoáveis? Estarão eles dentro do âmbito conhecido na química comum? Essa questão é banal, e pode ser respondida afirmativamente, sem recorrer a tabelas. As moléculas de qualquer substância que o químico é capaz de isolar a uma dada temperatura devem, nessa temperatura, ter uma vida média de pelo menos alguns minutos. (Isso é apresentar as coisas um tanto suavemente; como regra, elas têm muito mais.) Assim, os valores limiares que o químico encontra têm de ser precisamente da ordem de magnitude exigida para dar conta de praticamente qualquer grau de permanência que o biólogo possa encontrar; basta nos lembrarmos, conforme dissemos na página 59, que os limiares que variam com uma amplitude de cerca de 1:2 dão conta de durações de vida que variam desde uma fração de segundo até dezenas de milhares de anos.

Permitam-me fazer menção a valores, para referências futuras. As razões W/kT mencionadas como exemplo nas páginas 59-60, ou seja:

$$\frac{W}{kT} = 30, 50, 60,$$

produzindo vidas com duração de 1/16s, 16 meses, 30.000 anos, respectivamente, correspondem, à temperatura ambiente, a valores limiares de

$$0,9, \ 1,5, \ 1,8 \ \text{elétron-volts}.$$

Devemos explicar a unidade "elétron-volt", que é muito conveniente para o físico, porque pode ser visualizada. Por exemplo, o terceiro número (1,8) significa que um elétron, acelerado por uma voltagem de cerca de dois volts, teria adquirido justamente a energia suficiente para efetuar a transição por impacto. (Por comparação, a bateria de uma lanterna de bolso comum tem 3 volts.)

Essas considerações tornam concebível que uma mudança isomérica de configuração, em alguma parte da molécula, produzida por uma flutuação aleatória da energia vibracional, possa ser mesmo um evento suficientemente raro para ser interpretado como uma mutação espontânea. Assim, damos conta, baseados nos mais elementares princípios da mecânica quântica, do mais surpreendente fato acerca de mutações, o fato que chamou em primeiro lugar a atenção de De Vries, qual seja, que elas são variações "por saltos", sem a ocorrência de formas intermediárias.

Estabilidade dos genes naturalmente selecionados

Tendo descoberto o aumento da taxa natural de mutação por qualquer espécie de raios ionizantes, poder-se-ia pensar em atribuir a taxa natural à radiatividade do solo, do ar e à radiação cósmica. Mas uma comparação quantitativa com os resultados dos raios X demonstra que a "radiação natural" é muito fraca e poderia dar conta apenas de uma pequena fração da taxa natural.

Uma vez que devemos justificar as raras mutações naturais pelas flutuações aleatórias do movimento térmico, não devemos nos surpreender muito com o fato de a Natureza ter sido bem-sucedida em fazer essa sutil escolha de limiares que tornam mutações necessariamente incomuns. Pois chegamos logo cedo, nestas palestras, à conclusão de que mutações frequentes são prejudiciais à evolução. Indivíduos que, por mutação, adquirem uma configuração de genes cuja estabilidade é deficiente, terão poucas chances de ver sua descendência "ultrarradical" e rapidamente mutante sobreviver por muito tempo. A espécie se livrará deles e, assim, colherá os genes estáveis por seleção natural.

A estabilidade algumas vezes inferior dos mutantes

Mas, é claro, com respeito aos mutantes que ocorrem em nossos experimentos de cruzamento e que selecionamos, *qua* mutantes, para estudar sua prole, não existe motivo para se esperar que todos mostrem essa estabilidade alta. Pois eles ainda não foram "testados" – ou, se o foram, foram rejeitados nos cruzamentos não controlados – possivelmente por causa da mutabilidade muito elevada. De qualquer forma, não ficamos de forma alguma surpresos em aprender que, na verdade, alguns desses mutantes mostram uma mutabilidade muito mais elevada que os genes "selvagens" normais.

A temperatura influencia menos os genes instáveis que os estáveis

Isso nos permite testar nossa fórmula para mutabilidade, que era

$$t = \tau e^{W/kT}$$

(Deve-se lembrar que t é o tempo de espera para uma mutação com limiar de energia W.) Perguntamos: como t varia com a temperatura? Facilmente encontramos, a partir da fórmula anterior, e com uma boa aproximação, a razão entre o valor de t à temperatura $T + 10$, e aquele à temperatura T

$$\frac{{}^{t}T+10}{{}^{t}T} = e^{-10W/kT^2}$$

Sendo agora o expoente negativo, a razão é, naturalmente, menor que 1. O tempo de espera diminui com o aumento da temperatura, e a mutabilidade cresce. Isso pode ser testado e o foi com a mosca *Drosophila*, nos limites de temperatura que os insetos são capazes de suportar. O resultado foi, à primeira vista, surpreendente. A *baixa* mutabilidade dos genes selvagens aumentou nitidamente, mas a mutabilidade comparativamente *alta* que ocorreu com alguns genes que já haviam sofrido mutação, não aumentou, ou, se aumentou, foi pouco. Isso é justamente o que esperaríamos a partir da comparação das duas fórmulas. Um valor alto de W/kT que, de acordo com a primeira fórmula, é necessário para tornar t grande (gene estável), resultará, de acordo com a segunda fórmula, em um valor mais baixo para a razão ali computada, ou seja, em um considerável aumento da mutabilidade com a temperatura. (Os valores reais da razão parecem ficar entre cerca de 1/2 e 1/5. A recíproca, 2:5, é o que, em uma reação química comum, designamos fator de van't Hoff.)

Como os raios X produzem mutação

Voltando agora ao tema da taxa de mutação induzida por raios X, já inferimos, a partir dos experimentos de cruzamento: primeiro (a partir da proporcionalidade entre taxa de mutação e dosagem), que algum evento singular produz a mutação; segundo (a partir de resultados quantitativos e do fato de que a taxa de mutação é determinada pela densidade integrada de ionização e independente do comprimento de onda), que o evento singular deve ser uma ionização, ou processo semelhante, que deve acontecer no interior de um volume de apenas cerca de 10 distâncias atômicas cúbicas, de forma a produzir a mutação especificada. De acordo com nossa imagem, a energia para superar o limiar deve obviamente ser fornecida pelo processo explosivo: ionização ou excitação. Digo explosivo porque a energia gasta em uma ionização (gasta, incidentalmente, não pelo próprio raio X, mas por um elétron secundário que ele produz) é bem conhecida e tem o valor relativamente excessivo de 30 elétron-volts. Isso leva necessariamente a um movimento térmico enormemente aumentado no ponto onde ele é descarregado, e que se propaga daí na forma de uma "onda de calor", uma onda de intensas oscilações dos átomos. Que essa onda de calor seja ainda capaz de fornecer o limiar de energia exigido de 1 ou 2 elétron-volts numa "amplitude de ação" média de cerca de 10 distâncias atômicas não é inconcebível, embora seja verdade que um físico sem preconceitos pudesse ter antecipado uma amplitude de ação um pouco inferior. Em muitos casos, o efeito da explosão não será uma transição isomérica ordeira, mas uma lesão do cromossomo, uma lesão que se torna letal quando, por engenhosos cruzamentos, o parceiro não prejudicado (o cromossomo correspondente do segundo conjunto) é removido e substituído por um parceiro do qual se sabe de antemão que o gene correspondente é mórbido. Tudo isso é de se esperar e é exatamente o que se observa.

Sua eficiência não depende de mutabilidade espontânea

Algumas outras características, se não são previsíveis a partir da imagem, são facilmente compreensíveis a partir dela. Por exemplo, um mutante instável não vai mostrar, em média, uma taxa de mutação por raios X muito mais alta que a de um mutante estável. Agora, com uma explosão fornecendo uma energia de 30 elétron-volts, certamente não se deve esperar que faça muita diferença o fato de que o limiar de energia requerida seja um pouco mais alto ou um pouco mais baixo, digamos, 1 ou 1,3 elétron-volts.

Mutações reversíveis

Em alguns casos, a transição foi estudada em ambas as direções, de um certo gene "selvagem" para um mutante específico e de volta, daquele mutante para o gene selvagem. Em tais casos, a taxa de mutação natural é, às vezes, quase a mesma, outras vezes, muito diferente.

À primeira vista, fica-se intrigado, porque o limiar a ser superado parece ser o mesmo em ambos os casos. Mas, é claro, não precisa sê-lo, porque ele deve ser medido a partir do nível de energia da configuração inicial, e este pode ser diferente para o gene selvagem e para o gene que sofreu mutação. (Veja a Figura 12, à página 63, onde "1" poderia referir-se ao alelo selvagem e "2" ao mutante, cuja estabilidade inferior seria indicada pela seta mais curta.)

No total, penso, o modelo de Delbrück resiste muito bem aos testes e temos boa justificação para usá-lo em considerações posteriores.

6

ORDEM, DESORDEM E ENTROPIA

Nec corpus mentem ad cogitandum nec mens
corpus ad motum, neque ad quietem nec ad
aliquid (si quid est) aliud determinare potest.[1]
Espinosa, *Ética*, Pt.III, Prop.2

Uma notável conclusão geral a partir do modelo

Permitam que eu me refira à última frase da página 70, quando tentei explicar que o conceito molecular do gene tornou pelo menos concebível "que o código-miniatura pudesse estar em correspondência ponto por ponto com um plano de desenvolvimento altamente complicado e especificado e devesse, de alguma maneira, conter os meios para pô-lo em operação". Muito bem, mas, como ele faz isso? Como iremos transformar "concebível" em compreensão verdadeira?

O modelo molecular de Delbrück, em sua generalidade completa, parece não conter nenhuma sugestão sobre como a substância hereditária funciona. Na verdade, não espero que qualquer informação detalhada sobre tal questão advenha da física em um futuro próximo. Registram-se progressos, e assim, acredito, continuará a ser a partir da bioquímica, sob a direção da fisiologia e da genética.

Nenhuma informação detalhada sobre o funcionamento do mecanismo genético pode emergir de uma descrição tão geral de sua

---

1 "Nem o corpo pode determinar a mente a pensar, nem a mente o corpo a se mover ou a repousar ou a qualquer outra coisa, se houver."

estrutura, como a que foi dada acima. Isso é óbvio. Mas, estranhamente, existe apenas uma conclusão geral a ser obtida a partir dessa descrição e ela, confesso, foi meu único motivo para escrever este livro.

A partir da imagem geral de Delbrück acerca da substância hereditária, temos que a matéria viva, embora não escape às "leis da física" tal como hoje se encontram estabelecidas, parece envolver "outras leis da física" até aqui desconhecidas, as quais, no entanto, uma vez reveladas, virão a formar parte integral dessa ciência, assim como as anteriores o formam.

Ordem baseada em ordem

Essa é uma sutil linha de pensamento, aberta a mal-entendidos em mais de um aspecto. Todas as páginas que restam serão dedicadas a torná-la mais clara. Um entendimento preliminar, grosseiro mas não completamente errôneo, pode ser encontrado nas considerações que seguem.

Foi explicado no capítulo 1 que as leis da física, tais como as conhecemos, são leis estatísticas.[2] Elas têm tudo a ver com a tendência natural das coisas para caírem na desordem.

Porém, para conciliar a elevada durabilidade da substância hereditária com seu diminuto tamanho, tivemos de escapar à tendência para a desordem através da "invenção de uma molécula", de fato, uma molécula incomumente grande, uma obra-prima de ordem altamente diferenciada, salvaguardada pela vara de condão da teoria quântica. As leis do acaso não são invalidadas por essa "invenção", mas seu resultado é modificado. O físico está familiarizado com o fato de que as leis da física clássica são modificadas pela teoria quântica, especialmente a temperaturas baixas. Existem muitas instâncias disso. A vida parece ser uma delas, uma particularmente evidente. A vida parece ser comportamento bem ordenado e regrado da matéria, não exclusivamente baseado na tendência desta de passar da ordem para a desordem, mas baseado parcialmente em uma ordem existente que é mantida.

Para o físico – mas apenas para ele – espero esclarecer meu ponto de vista ao dizer: o organismo vivo parece ser um sistema macroscópico

---

2 Afirmar isso de modo completamente genérico sobre "as leis da física" talvez seja desafiador. Este ponto será discutido no capítulo 7.

O QUE É VIDA? 81

cujo comportamento, em parte, se aproxima daquela conduta puramente mecânica (em contraste com a termodinâmica) para a qual todos os sistemas tendem conforme a temperatura se aproxima do zero absoluto, quando a desordem molecular é removida.

O não físico acha difícil de acreditar que mesmo as leis ordinárias da física, que ele considera os protótipos da precisão inviolável, devam estar baseadas na tendência estatística da matéria de cair na desordem. Dei exemplos no capítulo 1. O princípio geral aí envolvido é a famosa Segunda Lei da Termodinâmica (princípio da entropia) e sua igualmente famosa fundamentação estatística. Nos itens seguintes tentarei esboçar o aporte do princípio da entropia para o comportamento de larga escala do organismo vivo, esquecendo, por ora, tudo o que se sabe sobre cromossomos, herança etc.

A matéria viva se esquiva do decaimento para o equilíbrio

Qual a característica particular da vida? Quando se pode dizer que uma porção de matéria está viva? Quando ela "faz alguma coisa", como mover-se, trocar material com o meio etc., e isso por um período muito mais longo do que esperaríamos que uma porção de matéria inanimada o fizesse nas mesmas circunstâncias. Quando um sistema não vivo é isolado ou colocado em um ambiente uniforme, usualmente todo o movimento cessa depressa, como resultado de vários tipos de fricção; diferenças de potencial químico ou elétrico são equalizadas, substâncias que tendem a formar compostos químicos o fazem e a temperatura se torna uniforme por condução térmica. Depois disso, todo o sistema míngua para um bloco inerte e morto de matéria. É atingido um estado permanente, no qual não ocorre nenhum evento observável. O físico dá a esse estado o nome de equilíbrio termodinâmico ou estado de "entropia máxima".

Na prática, um estado desse tipo é atingido muito rapidamente. Na teoria, muito frequentemente não se trata de equilíbrio absoluto nem verdadeiramente de entropia máxima. Mas, a partir de então, a aproximação até o estado de equilíbrio é muito lenta. Pode levar qualquer coisa como horas, anos ou séculos... Para dar um exemplo – um no qual a aproximação é ainda muito rápida: se um copo é cheio com água pura e um segundo com água com açúcar e ambos são colocados juntos em uma caixa hermeticamente fechada a temperatura constante, parece a princípio que nada acontece e se cria a impressão de completo equilíbrio. Mas, depois de um dia, mais ou menos, nota-se que a água pura, em virtude da sua pressão de vapor mais alta, vagarosamente evapora e se condensa sobre a solução. Esta transborda. Só depois que a água pura evaporou totalmente é que o açúcar atinge seu objetivo de ficar igualmente distribuído por toda a água líquida disponível.

Essas lentas aproximações do equilíbrio não poderiam jamais ser confundidas com manifestações de vida, e não as levaremos aqui em consideração. Referi-me a elas para me livrar da acusação de imprecisão.

Ela se alimenta de "entropia negativa"

É por evitar o rápido decaimento no estado inerte de "equilíbrio" que um organismo parece tão enigmático. Assim é que, desde os mais remotos tempos do pensamento humano, afirma-se que uma força especial não física ou sobrenatural (*vis viva*, enteléquia) opera no organismo, e, em alguns recantos, ainda se afirma isso.

Como um organismo vivo evita o decaimento? A resposta óbvia é: comendo, bebendo, respirando e (no caso das plantas) assimilando. O termo técnico é *metabolismo*. A palavra grega (μεταβάλλειν) quer dizer troca ou câmbio. Câmbio do quê? Originariamente, a ideia básica era, sem dúvida, troca de material. (Por exemplo, a palavra alemã para metabolismo é *Stoffwechsel* [*Stoff (matéria), Wechsell (troca)*].) É absurdo que a troca de material deva ser o essencial. Qualquer átomo de nitrogênio, oxigênio, enxofre etc. é tão bom quanto qualquer outro de seu tipo. O que se ganharia em trocá-los? Por algum tempo, no passado, nossa curiosidade foi silenciada por nos dizerem que nos alimentávamos de energia. Em algum país muito avançado (não me lembro se na Alemanha, nos EUA ou em ambos), pode-se encontrar nos cardápios de restaurantes, além do preço, o conteúdo energético de cada prato. Desnecessário dizer que, tomado ao pé da letra, isso é um absurdo. Para um organismo adulto, o conteúdo de energia é tão estacionário quanto o conteúdo material. Já que, por certo, uma caloria é tão boa quanto qualquer outra, não se consegue ver qual o interesse de uma troca pura e simples.

O que é então esse algo tão precioso contido em nosso alimento, e que nos livra da morte? A isso responde-se facilmente. Todo processo,

O QUE É VIDA? 83

evento, ocorrência – chame-se-lhe como se quiser – numa palavra, tudo o que acontece na Natureza significa um aumento da entropia da parte do mundo onde acontece. Assim, um organismo vivo aumenta continuamente sua entropia – ou, como se poderia dizer, produz entropia positiva – e, assim, tende a se aproximar do perigoso estado de entropia máxima, que é a morte. Só posso me manter distante disso, isto é, vivo, através de um processo contínuo de extrair entropia negativa do ambiente, o que é algo muito positivo, como já veremos. Um organismo se alimenta, na verdade, de entropia negativa. Ou, exprimindo o mesmo de modo menos paradoxal, o essencial no metabolismo é que o organismo tenha sucesso em se livrar de toda a entropia que ele não pode deixar de produzir por estar vivo.

O que é entropia?

O que é entropia? Permitam-me primeiramente enfatizar que não se trata de um conceito ou ideia obscuras, mas de uma quantidade física mensurável, da mesma forma que o comprimento de um bastão, a temperatura em qualquer ponto de um corpo, o calor de fusão de um dado cristal ou o calor específico de qualquer substância. No ponto zero absoluto de temperatura (-273°C), a entropia de qualquer substância é zero. Quando a substância é levada a qualquer outro estado através de passos pequenos, lentos e reversíveis (mesmo que ela mude sua natureza física ou química ou se divida em duas ou mais partes de natureza física e química distintas), a entropia aumenta numa proporção que se calcula dividindo cada pequena quantidade de calor que precisou ser fornecida durante o processo pela temperatura absoluta no ponto do fornecimento e somando todas essas pequenas contribuições. Para dar um exemplo, quando se funde um sólido, sua entropia aumenta na proporção do calor de fusão dividida pela temperatura no ponto de fusão. Vê-se, disso, que a unidade na qual se mede a entropia é cal/°C (da mesma forma que a caloria é a unidade de calor, ou o centímetro, a unidade de comprimento).

O significado estatístico da entropia

Mencionei essa definição técnica apenas para remover a entropia da atmosfera de opaco mistério que frequentemente a envolve. Muito mais importante para nós aqui é a relação com o conceito estatístico

84 ERWIN SCHRÖDINGER

de ordem e desordem, relação essa que foi revelada pelas investigações de Boltzmann e Gibbs em física estatística. Essa é também uma relação quantitativa exata, expressa por

$$\text{entropia} = k \log D,$$

onde k é a constante de Boltzmann ($= 3.2983,10^{-24}$ cal./°C) e D uma medida quantitativa da desordem atomística do corpo em questão. Dar uma explanação exata dessa quantidade D em termos breves e não técnicos é quase impossível. A desordem que ela indica é em parte aquela devida ao movimento térmico, em parte aquela que consiste em diferentes tipos de átomos ou moléculas serem misturados ao acaso em lugar de estarem bem separados, por exemplo, as moléculas de açúcar e água no exemplo dado acima. A equação de Boltzmann é bem ilustrada por aquele exemplo. O "espalhamento" gradual do açúcar por toda a água disponível aumenta a desordem D e, portanto (já que o logaritmo de D aumenta com D), a entropia. É também bastante claro que qualquer fornecimento de calor aumenta a confusão do movimento térmico, o que significa que aumenta D e, portanto, a entropia. E é particularmente evidente que isso deve acontecer quando se funde um cristal, já que, assim, é destruído o arranjo atômico ou molecular ordenado e permanente, sendo a retícula cristalina transformada em uma distribuição aleatória continuamente cambiante.

Um sistema isolado ou um sistema em um ambiente uniforme (o que, nas considerações que fazemos aqui, é melhor incluir como parte do sistema que estudamos) aumenta sua entropia e, mais ou menos rapidamente, aproxima-se do estado inerte de entropia máxima. Reconhecemos atualmente que essa lei fundamental da física é apenas a tendência natural das coisas de se aproximar do estado caótico (a mesma tendência mostrada pelos livros em uma biblioteca ou por pilhas de papéis ou manuscritos em uma escrivaninha), a menos que o evitemos. (O análogo do movimento térmico irregular, nesse caso, seria o fato de repetidamente manusearmos tais objetos sem nos preocuparmos em devolvê-los a seus devidos lugares.)

Organização mantida pela extração de "ordem" a partir do ambiente

Como poderíamos expressar em termos da teoria estatística a maravilhosa faculdade do organismo vivo, pela qual ele atrasa o decaimento no equilíbrio termodinâmico (morte)? Dissemo-lo antes: "Ele se alimenta de entropia negativa", como se atraísse um fluxo de entropia negativa para si mesmo, a fim de compensar o aumento de entropia que produz por viver e, assim, manter-se em um nível de entropia estacionário e bem baixo.

Se D é uma medida de desordem, sua recíproca, $1/D$, pode ser considerada uma medida direta de ordem. Já que o logaritmo de $1/D$ é apenas o negativo do logaritmo de D, podemos escrever a equação de Boltzmann como:

$$- \text{(entropia)} = k \log (1/D).$$

Daqui, a esquisita expressão "entropia negativa" pode ser substituída por uma melhor: entropia, tomada com o sinal negativo, é ela mesma uma medida de ordem. Assim, a forma pela qual um organismo se mantém estacionário em um nível razoavelmente alto de ordem (= nível razoavelmente baixo de entropia) realmente consiste em absorver ordem de seu meio ambiente. Essa conclusão é menos paradoxal do que parece à primeira vista. Longe disso, poderia até ser criticada como trivialidade. Na verdade, no caso de animais superiores, conhecemos bem o tipo de ordem da qual se sustentam, ou seja, o estado extremamente bem ordenado da matéria em compostos orgânicos mais ou menos complexos que lhes servem de alimento. Depois de utilizá-lo, devolvem-no em uma forma muito degradada – não inteiramente degradada, todavia, pois plantas ainda podem usá-lo. (Estas, é claro, têm na luz solar seu fornecimento mais potente de "entropia negativa".)

Nota ao capítulo 6

Os comentários sobre *entropia negativa* encontraram ceticismo e oposição por parte de colegas físicos. Gostaria de dizer inicialmente que, se tivesse me ocupado de saciar apenas seus gostos, deveria ter deixado que, em vez disso, a discussão girasse em torno de *energia livre*. Neste contexto, é a noção mais familiar. Mas, linguisticamente, esta expressão altamente técnica parecia demasiado próxima de *energia* para chamar a atenção do leitor médio para o contraste entre as duas coisas. Ele tenderá a interpretar *livre* mais ou menos como um *epíteto ornamental* sem grande relevância embora, na verdade, o conceito seja um tanto intricado e sua relação com o princípio de ordem-desordem de Boltzmann seja menos fácil de rastrear do que com a entropia e "entropia tomada com um sinal negativo", a qual, aliás, não é invenção minha. Ocorre ser precisamente a coisa em que se transformou o argumento original de Boltzmann.

Mas F. Simon chamou minha atenção, muito apropriadamente, para o fato de minhas simples considerações termodinâmicas não darem conta de explicar a necessidade de termos de nos alimentar de matéria "no estado extremamente bem ordenado de compostos orgânicos mais ou menos complicados", e não de polpa de carvão ou diamante. Ele tem razão. Mas para o leitor leigo, devo explicar que um pedaço de carvão ou de diamante não queimados, juntamente com a quantidade de oxigênio necessária para sua combustão, também estão num estado extremamente bem-ordenado, segundo o físico o compreende. Atente para o seguinte: se você permitir que ocorra a reação da queima do carvão, uma grande quantidade de calor será produzida. Ao perdê-la para o meio circundante, o sistema irá se livrar do aumento considerável de entropia acarretado pela reação e atingirá um estado no qual tem, na realidade, aproximadamente a mesma entropia que antes.

Ainda assim, não poderíamos nos alimentar com o dióxido de carbono que resulta da reação. Portanto, Simon está certo ao chamar minha atenção, como o fez, para o fato de o conteúdo energético do nosso alimento *de fato* importar; logo, meu escárnio para com cardápios que o indicam foi inoportuno. Energia é necessária para repor não apenas a energia mecânica de nossos esforços corporais, mas também o calor que liberamos continuamente no ambiente. E que liberarmos calor não é acidental, mas essencial, pois é precisamente esta a maneira através da qual nos livramos do excedente de entropia que produzimos continuamente em nosso processo de vida física.

Isto parece sugerir que a temperatura mais elevada do animal de sangue quente incluiria a vantagem de capacitá-lo a se livrar de sua entropia a uma maior velocidade, de forma a ter condições de suportar um processo de vida mais intenso. Não tenho muita certeza de quanta verdade existe neste argumento (pelo qual sou eu o responsável, e não Simon). É possível dizer contra ele que, por outro lado, muitos animais de sangue quente são *protegidos* contra a rápida perda de calor através de revestimentos de pele ou de penas. Portanto, é possível que o paralelismo entre temperatura corporal e "intensidade de vida", que acredito existir, tenha de ser explicado mais diretamente pela lei de van't Hoff, mencionada na p.73; a própria temperatura mais elevada acelera as reações químicas envolvidas na vida. (Que isso realmente acontece foi confirmado experimentalmente em espécies que tomam a temperatura do meio circundante.)

7

A VIDA SE BASEIA NAS LEIS DA FÍSICA?

Si un hombre nunca se contradice,
será porque nunca dice nada.[1]
Miguel de Unamuno (tirado de uma conversa)

Novas leis a serem previstas no organismo

O que quero deixar claro neste último capítulo é, em resumo, que a partir de tudo o que aprendemos sobre a estrutura da matéria viva, devemos estar preparados para descobrir que ela funciona de uma forma que não pode ser reduzida às leis comuns da física. E isso, não sobre o fundamento de que exista alguma "nova força" ou o que quer que seja dirigindo o comportamento de cada um dos átomos de um organismo vivo, mas sim porque sua construção é diferente de qualquer outra coisa que já tenhamos testado em um laboratório de física. Em termos mais diretos: um engenheiro, familiarizado apenas com motores térmicos, estará preparado, depois de inspecionar a construção de um dínamo, para descobrir que este funciona baseado em princípios que ele ainda não entende. Ele vê o cobre, que lhe é familiar por seu uso em caldeiras, usado aqui sob a forma de longos fios enrolados em bobinas; o ferro, que lhe é familiar em alavancas, barras e cilindros de motores a vapor, usado aqui para preencher o interior dessas bobinas de cobre. Ele estará convencido de que se trata do mesmo cobre e do

---

1 "Se um homem nunca se contradiz, deve provavelmente ser porque nunca diz nada."

mesmo ferro, sujeitos às mesmas leis da Natureza e, nisso, estará certo. A diferença na construção é suficiente para prepará-lo para uma maneira inteiramente diferente de funcionar. Ele não vai pensar que o dínamo é dirigido por um fantasma, só porque é posto a girar pelo movimento de um interruptor, sem fornalha ou vapor.

Revisando a situação biológica

O desdobramento de eventos no ciclo de vida de um organismo exibe uma admirável regularidade e ordem, sem comparação com qualquer coisa que encontramos na matéria inanimada. Descobrimos que esse ciclo é controlado por um grupo de átomos supremamente bem ordenado, que representa apenas uma fração muito pequena da soma total de átomos em toda célula. Além disso, do ponto de vista que formulamos acerca do mecanismo de mutação, concluímos que basta o deslocamento de uns poucos átomos apenas dentro do grupo de "átomos dirigentes" da célula germinativa para fazer aparecer uma alteração bem definida nas características de larga escala do organismo.

Esses fatos são, por certo, o que de mais interessante a ciência revelou em nossos dias. Podemos estar inclinados a considerá-los, no fim das contas, não totalmente inaceitáveis. A impressionante capacidade que tem um organismo de concentrar um "fluxo de ordem" para si mesmo e, assim, escapar do decaimento no caos atômico – de "absorver ordem" de um ambiente conveniente –, parece estar conectado com a presença de "sólidos aperiódicos", as moléculas dos cromossomos, que, sem dúvida, representam o mais alto grau de associação atômica bem ordenada que conhecemos, muito mais que o cristal periódico comum, em virtude do papel individual que todo átomo e todo radical ali desempenham.

Em resumo, testemunhamos o fato de que a ordem existente apresenta o poder de manter-se a si própria e de produzir eventos ordenados. Isso parece bem possível embora, ao considerar plausível o fato, nós, sem dúvida, estamos pensando em termos da experiência relativa à organização social e a outros eventos que envolvem a atividade de organismos. E, assim, pode parecer que isso implica algum tipo de círculo vicioso.

O QUE É VIDA? 89

Sumariando a situação física

Seja como for, o ponto que deve sempre ser enfatizado é que, para o físico, o estado de coisas não é apenas implausível como extremamente excitante, pois não tem precedentes. Contrariamente à crença comum, o curso regular dos eventos, governado pelas leis da física, nunca é consequência de uma configuração bem ordenada de átomos, nem quando essa configuração de átomos se repete um grande número de vezes, seja como no cristal periódico ou em um líquido, ou em um gás composto de um grande número de moléculas idênticas. Mesmo quando o químico manuseia *in vitro* uma molécula muito complicada, sempre encontra um enorme número de moléculas. Suas leis se aplicam a elas. Ele pode dizer, por exemplo, que um minuto depois de ter começado uma dada reação, metade das moléculas terão reagido e, depois de um segundo minuto, três quartos delas terão feito o mesmo. Mas, se uma certa molécula, supondo que fosse possível seguir seu curso, estará entre as que reagiram ou entre as que permanecem intocadas, isso ele não pode prever. Isso é assunto puramente aleatório.

Essa não é uma conjectura puramente teórica. Não é o caso de que não se possa jamais observar o destino de um único pequeno grupo de átomos ou mesmo de um único átomo. Podemos, às vezes. Mas, sempre que o fazemos, encontramos uma completa irregularidade que coopera para produzir regularidade apenas na média. Lidamos com um exemplo assim no capítulo 1. O movimento browniano de uma pequena partícula suspensa em um líquido é completamente irregular. Mas, se existirem muitas partículas semelhantes, elas irão, dado seu movimento irregular, resultar no fenômeno regular da difusão.

A desintegração de um único átomo radiativo é observável (ele emite um projétil que causa uma cintilação visível em uma tela fluorescente). Mas se um único átomo radiativo é dado, sua vida média provável é muito menos certa que aquela de um pardal sadio. Na verdade, nada mais pode ser dito sobre ele além disto: enquanto viver (e isso pode significar milhares de anos), a chance de ele explodir no próximo segundo, seja ela grande ou pequena, mantém-se a mesma. Ainda assim, essa patente falta de determinação individual resulta na exata lei exponencial do decaimento de um grande número de átomos radiativos do mesmo tipo.

O surpreendente contraste

Em biologia, temos uma situação inteiramente diferente. Um só grupo de átomos, existindo em uma cópia apenas, produz eventos ordenados, maravilhosamente afinados entre si e com o ambiente, de acordo com as leis mais sutis. Eu disse existindo em uma cópia apenas pois, afinal, temos o exemplo do ovo e do organismo unicelular. Nos estágios posteriores de um organismo superior, é verdade que as cópias são multiplicadas. Mas, em que extensão? Algo como 10^{14} em um mamífero crescido, eu suponho. Mas o que é isso! Apenas um milionésimo do número de moléculas em uma polegada cúbica de ar. Embora relativamente volumosas, ao coalescer, formariam apenas uma pequena gota de líquido. E vejam como elas estão distribuídas. Toda célula abriga exatamente uma delas (ou duas, se tivermos em mente a diploidia). Uma vez que conhecemos o poder que esses pequenos escritórios centrais têm na célula isolada, eles não lembram postos do governo local dispersos pelo corpo, comunicando-se com grande facilidade graças ao código comum a todos eles?

Bem, essa é uma descrição fantasiosa, talvez menos apropriada ao cientista que ao poeta. No entanto, não é preciso imaginação poética, mas apenas uma reflexão científica clara e sóbria, para reconhecer que estamos, no caso, frente a frente com eventos cujo desenvolvimento regular e ordenado é guiado por um "mecanismo" inteiramente diferente do "mecanismo probabilístico" da física. Pois é um fato observacional simples que o princípio-guia em toda célula é corporificado em uma única associação atômica que existe em apenas uma (às vezes duas) cópia e é também um fato observacional que o princípio resulta na produção de eventos que são um paradigma de ordem. Quer achemos espantoso ou plausível que um pequeno mas altamente organizado grupo de átomos seja capaz de agir dessa forma, a situação não tem precedentes, sendo desconhecida em qualquer outro lugar além da matéria viva. O físico e o químico, investigando a matéria inanimada, nunca testemunharam fenômenos que precisassem ser interpretados dessa forma. O caso não se deu à vista e, assim, nossa teoria não o recobre – nossa bela teoria estatística da qual tanto nos orgulhávamos, por nos permitir olhar por trás da cortina, apreciar o emergir da magnífica ordem da lei física exata, a partir da desordem atômica e molecular, por nos revelar que a mais importante, a mais geral, a totalmente abrangente lei do aumento da entropia, podia ser entendida sem qualquer suposição *ad hoc*, pois nada mais é que a própria desordem molecular.

O QUE É VIDA? 91

Duas maneiras de produzir ordem

A ordem encontrada no desenvolvimento da vida vem de uma fonte diferente. Parece que existem dois "mecanismos" diferentes pelos quais eventos ordenados podem ser produzidos: o "mecanismo estatístico", que produz "ordem a partir da desordem" e um novo, que produz "ordem a partir da ordem". Para a mente sem preconceitos, o segundo princípio parece muito mais simples, muito mais plausível. Sem dúvida o é. Esse é o motivo pelo qual os físicos tanto se orgulhavam de ter encontrado o outro, o princípio da "ordem a partir da desordem", que é realmente seguido pela Natureza e que sozinho permite entender a grande linha de eventos naturais, primeiramente, sua irreversibilidade. Mas não podemos esperar que as "leis da física" dele derivadas bastem para explicar o comportamento da matéria viva, cujas mais evidentes características são visivelmente baseadas no princípio da "ordem a partir da ordem". Não seria de esperar que dois mecanismos inteiramente diferentes resultassem no mesmo tipo de lei. Você não esperaria que sua chave abrisse também a porta do vizinho.

Não devemos, portanto, sentir-nos desencorajados pela dificuldade de interpretar a vida a partir das leis comuns da física. Pois dificuldade é justamente o que se deve esperar do conhecimento que adquirimos da estrutura da matéria viva. Devemos estar preparados para nela encontrar um novo tipo de lei física. Ou devemos dizer uma lei não física, para não dizer superfísica?

O novo princípio não é estranho à física

Não. Não penso assim. Pois o novo princípio físico envolvido é genuinamente físico: é, em minha opinião, nada mais que, de novo, o princípio da teoria quântica. Para explicar este ponto, devemos nos estender um pouco mais, e incluir um refinamento para não dizer uma correção, da asserção feita anteriormente, de que todas as leis físicas são baseadas em estatística.

Essa asserção, feita repetidamente, não poderia deixar de gerar contradições. Pois, de fato, existem fenômenos cujas características mais evidentes são visivelmente baseadas no princípio da "ordem a partir da ordem" e parecem não ter nada a ver com estatística ou desordem molecular.

A ordem do sistema solar, o movimento dos planetas, é mantida por tempo quase indefinido. A constelação deste momento está diretamente conectada à constelação de qualquer momento dado no tempo das pirâmides; pode-se rastrear o percurso deste para aquele e vice-versa. Eclipses que figuram na história foram calculados e verificou-se que estavam em bom acordo com os registros históricos e, em alguns casos, chegaram a servir para corrigir a cronologia aceita. Esses cálculos não implicam qualquer estatística, estando baseados simplesmente na lei da atração universal de Newton.

Nem o movimento regular de um bom relógio ou de qualquer outro mecanismo semelhante parece ter algo a ver com a estatística. Em resumo, todos os eventos puramente mecânicos parecem seguir distinta e diretamente de um princípio de "ordem a partir da ordem". E se dizemos "mecânico", o termo deve ser tomado em sentido amplo. Um tipo muito útil de relógio está, como se sabe, baseado na transmissão regular de pulsos elétricos por uma estação de energia.

Lembro-me de um interessante ensaio de Max Planck sobre o tema "O Tipo Estatístico e Dinâmico de Lei" ("Dynamische und Statistische Gesetzmässigkeit"). A distinção é precisamente aquela entre o que chamamos os de "ordem a partir da ordem" e "ordem a partir da desordem". O objetivo do ensaio era o de mostrar como o interessante tipo estatístico de lei, que controla eventos em larga escala, é constituído das "leis dinâmicas" que se supõe governarem os eventos de pequena escala, isto é, as interações entre átomos e moléculas individuais. Este último tipo é ilustrado pelos fenômenos mecânicos de larga escala, tais como os movimentos dos planetas, de relógios etc.

Assim, poderia parecer que o "novo princípio", o da ordem a partir da ordem, ao qual nos referimos com grande solenidade como sendo a verdadeira chave para a compreensão da vida, não é de todo novo para a física. A atitude de Planck chega mesmo a reivindicar prioridade para ele. Parece que chegamos à ridícula conclusão de que a pista para a compreensão da vida é que ela está baseada em um mecanismo puro, em "relojoaria", nos termos do ensaio de Planck. A conclusão não é ridícula e, em minha opinião, não está inteiramente errada, embora deva ser tomada com muitíssima cautela.

O movimento de um relógio

Analisemos cuidadosamente o movimento de um relógio de verdade. Não se trata, absolutamente, de um fenômeno puramente me-

O QUE É VIDA? 93

cânico. Um relógio puramente mecânico não precisaria de mola nem de corda. Uma vez posto em movimento, continuaria assim para sempre. Um relógio real que não tenha uma mola para, depois de umas tantas oscilações do pêndulo, com sua energia mecânica transformada em calor. Este é um processo atomístico extremamente complexo. A imagem geral formada pelo físico o compele a admitir que o processo inverso não é inteiramente impossível: um relógio sem corda poderia começar a se mover, de repente, à custa da energia térmica de suas próprias engrenagens e do ambiente. O físico teria de dizer: o relógio está experimentando um ajuste excepcionalmente intenso do movimento browniano. Vimos no capítulo 1 (p.27) que esse tipo de coisa acontece todo o tempo com uma balança de torção bem sensível (eletrômetro ou galvanômetro). No caso de um relógio, isso é infinitamente improvável.

Depende inteiramente de nossa atitude o fato de o movimento de um relógio ser atribuído a eventos sujeitos a leis de tipo estatístico ou dinâmico (para usar as expressões de Planck). Ao dizer que ele é um fenômeno dinâmico, fixamos nossa atenção no curso regular que pode ser assegurado por uma mola comparativamente fraca, que supera os pequenos distúrbios devidos ao movimento térmico, de forma a podermos ignorá-los. Mas, se nos lembrarmos de que sem uma mola o relógio é gradualmente retardado pelo atrito, descobriremos que esse processo só pode ser entendido como um fenômeno estatístico.

Mesmo que, de um ponto de vista prático, os efeitos do atrito e do calor sejam insignificantes em um relógio, não pode haver dúvida de que a segunda atitude, que não os negligencia, é a mais fundamental, mesmo quando se encara o passo regular de um relógio movido por uma mola. Pois não se deve acreditar que o mecanismo responsável pelo movimento realmente suprima a natureza estatística do processo. A imagem física correta inclui a possibilidade de que mesmo um relógio em movimento regular pode de repente inverter seu movimento e, trabalhando para trás, dar corda em sua mola às expensas do calor ambiente. Tal evento é "apenas um pouco menos provável" do que o "ajuste browniano" de um relógio sem mecanismo de corda.

Mecanismos são, afinal de contas, estatísticos

Revisemos a situação. O caso "simples" que analisamos é representativo de muitos outros – de fato, de todos aqueles que parecem escapar ao princípio geral da estatística molecular. Mecanismos feitos de matéria física real (em contraste com a imaginação) não são verdadeiros

94 ERWIN SCHRÖDINGER

"mecanismos de relojoaria". O elemento do acaso pode estar mais ou menos reduzido, a probabilidade de o relógio de repente desandar é infinitesimal, mas sempre está presente. Mesmo no movimento dos corpos celestes não faltam influências friccionais e térmicas irreversíveis. Assim, a rotação da Terra vai diminuindo lentamente, em virtude da fricção das marés e, juntamente com essa redução, a Lua afasta-se gradualmente da Terra, o que não aconteceria se esta fosse uma esfera com movimento de rotação, completamente rígida.

Ainda assim, permanece o fato de que "mecanismos físicos" visivelmente apresentam características muito manifestas de "ordem a partir da ordem" – do tipo que atrai a excitação do físico, quando ele as encontra no organismo. Parece provável que os dois casos tenham, no fim de contas, alguma coisa em comum. Falta descobrir o que é esse algo e qual é a diferença notável que torna o caso do organismo, afinal algo de novo e sem precedentes.

Teorema de Nernst

Quando é que um sistema físico – qualquer tipo de associação de átomos – apresenta a "lei dinâmica" (no sentido de Planck) ou "características de mecanismo"? A teoria quântica tem uma resposta muito breve para essa questão, ou seja, à temperatura de zero absoluto. À medida que a temperatura se aproxima do grau zero, a desordem molecular deixa de ter qualquer relação com os eventos físicos. Esse fato, aliás, não foi descoberto pela teoria, mas por meio de cuidadosa investigação das reações químicas em uma ampla gama de temperaturas, cujos resultados foram extrapolados para a temperatura zero – que não pode, de fato, ser atingida. Esse é o famoso "Teorema do Calor" de Walther Nernst, a que, às vezes e com propriedade, se dá o nome pomposo de "Terceira Lei da Termodinâmica" (sendo a primeira o princípio da energia e a segunda o princípio da entropia).

A teoria quântica fornece uma fundamentação racional para a lei empírica de Nernst e também nos permite estimar o quanto um sistema deve se aproximar do zero absoluto a fim de apresentar um comportamento aproximadamente "dinâmico". Qual a temperatura que, em qualquer caso particular, é praticamente equivalente a zero?

Ora, vocês não devem acreditar que ela tem de ser sempre uma temperatura muito baixa. Na verdade, a descoberta de Nernst foi induzida pelo fato de que mesmo à temperatura ambiente, a entropia tem um papel espantosamente insignificante em muitas reações químicas.

O QUE É VIDA? 95

(Permitam-me lembrar que a entropia é uma medida direta da desordem molecular, a saber, seu logaritmo.)

O relógio de pêndulo encontra-se virtualmente à temperatura zero

E quanto a um relógio de pêndulo? Para ele, a temperatura ambiente é praticamente equivalente a zero. Essa é a razão pela qual ele funciona "dinamicamente". Ele continuará a trabalhar sem quaisquer alterações se for esfriado (desde que se tenham removido todos os vestígios de óleo). Mas ele não continuará a trabalhar se for aquecido além da temperatura ambiente, pois, eventualmente, fundir-se-á.

A relação entre mecanismo e organismo

Isso parece muito trivial, mas, na verdade, acredito, toca o ponto central. Mecanismos são capazes de funcionar "dinamicamente" porque são constituídos de sólidos, que são mantidos em sua forma pelas forças de London-Heitler, fortes o suficiente para evitar a tendência à desordem do movimento térmico à temperatura normal.

Neste momento, acredito que algumas palavras mais são necessárias para descobrir o ponto de semelhança entre mecanismo e organismo. Ele se assenta, simplesmente, no fato de que o último também se vale de um sólido – o cristal aperiódico constituinte da substância hereditária, o qual muito se afasta da desordem do movimento térmico. Mas, por favor, não me acusem de chamar aos cromossomos "engrenagens da máquina orgânica" – pelo menos não sem uma referência às profundas teorias físicas sobre as quais se baseia a semelhança.

Pois, na verdade, é necessária ainda menos retórica para lembrar a diferença fundamental entre ambos e, assim, justificar os epítetos de novo e sem precedentes no caso biológico.

As características mais evidentes são: primeiro, a curiosa distribuição de engrenagens em um organismo multicelular, para o que faço referência à descrição algo poética dada à página 86; e, segundo, o fato de que a singular engrenagem não é de grosseira manufatura humana, mas a mais requintada obra-prima já conseguida pelas leis da mecânica quântica do Senhor.

EPÍLOGO

SOBRE O DETERMINISMO E O LIVRE-ARBÍTRIO

Como recompensa pelos grandes embaraços que tive ao expor o aspecto puramente científico do nosso problema *sine ira et studio*, permitam-me que manifeste, agora, o meu próprio ponto de vista, necessariamente subjetivo, quanto às implicações filosóficas.

De acordo com as evidências expostas nas páginas anteriores, os fenômenos do espaço-tempo de um organismo vivo, correspondentes à atividade de sua mente, a sua autoconsciência e a suas outras ações (considerando também sua estrutura complexa e a explicação estatística aceita da físico-química) são, se não estritamente determinísticos, pelo menos estatístico-determinísticos. Para o físico, desejo enfatizar que, em minha opinião, e contrariamente à opinião mantida em alguns setores, a *indeterminação quântica* não tem neles qualquer papel biologicamente relevante, exceto talvez por sublinhar seu caráter puramente acidental em eventos tais como a meiose, a mutação natural e a mutação induzida por raios X etc. – sendo isso, de qualquer modo, óbvio e bem reconhecido.

Para fins de argumentação, permitam-me considerar esse aspecto como um fato, como acredito que qualquer biólogo sem preconceitos o faria se não existisse a desagradável e bem conhecida sensação de "declarar-se a si próprio como puro mecanismo". Pois isso está fadado a contradizer o Livre-Arbítrio tal como ele se encontra garantido pela introspecção direta.

98 ERWIN SCHRÖDINGER

Mas experiências imediatas, em si mesmas, quão numerosas e diferentes sejam, são logicamente incapazes de se contradizerem mutuamente. Assim, vejamos se não somos capazes de extrair a conclusão correta, não contraditória, das duas premissas seguintes: (i) Meu corpo funciona como um puro mecanismo, de acordo com as Leis da Natureza.

(ii) Ainda assim, sei, por experiência direta incontestável, que comando seus movimentos, dos quais prevejo os efeitos, que podem ser decisivos e extremamente importantes, em cujo caso sinto e assumo por eles total responsabilidade.

A única inferência possível a partir destes dois fatos, imagino, é que eu – eu no sentido mais amplo da palavra, ou seja, toda mente consciente que jamais disse ou sentiu "eu" – sou a pessoa, se é que existe alguma, que controla "o movimento dos átomos", de acordo com as Leis da Natureza.

No âmbito de um determinado ambiente cultural (*Kulturkreis*) em que certos conceitos (que já tiveram ou ainda têm um significado mais amplo entre outros povos) foram limitados ou especializados, é ousado dar a essa conclusão a palavra simples que ela requer. Na terminologia cristã, dizer "Logo, eu sou o Deus Todo-Poderoso" parece tanto blasfemo quanto lunático. Mas, por favor, abstraiam por ora essas conotações e considerem se a inferência acima não é o mais próximo que um biólogo pode chegar para provar, de uma só vez, a existência de Deus e da imortalidade.

Em si, a ideia não é nova. Os registros mais antigos datam, até onde sei, de 2.500 anos atrás. Desde os primitivos grandes Upanixades, no pensamento indiano, a identificação de ATHMAN = BRAHMAN (o eu pessoal iguala-se ao eu eterno, e onipresente e onisciente), longe de constituir uma blasfêmia, representava a quintessência da mais profunda intuição quanto aos acontecimentos do mundo. O maior empenho de todos os estudiosos da escola Vedanta era, após o aprendizado dos movimentos dos lábios para a pronúncia correta, realmente assimilar em suas mentes este pensamento, o mais grandioso de todos.

De novo, os místicos de muitos séculos, independentemente, mas em perfeita harmonia uns com os outros (algo como ocorre com as partículas em um gás ideal) descreveram, cada um deles, a experiência única de sua vida em termos que podem ser resumidos na expressão: DEUS FACTUS SUM (Tornei-me Deus).

Para a ideologia ocidental, tal pensamento permaneceu estranho, a despeito de Schopenhauer e outros que o admitiram, e a despeito dos amantes verdadeiramente apaixonados que, quando olham nos olhos um do outro, descobrem que o pensamento e a alegria de ambos são *numericamente* um único – não apenas semelhantes ou idênticos; mas estes, regra geral, estão emocionalmente muito ocupados para se permitirem pensamentos clarividentes e, a esse respeito, muito lembram os místicos.

Permitam-me, ainda, mais alguns comentários. A consciência nunca é experimentada no plural, apenas no singular. Mesmo nos casos patológicos de consciência dividida ou dupla personalidade, os dois eus se alternam, jamais se manifestando simultaneamente. Num sonho, desempenhamos vários personagens ao mesmo tempo, mas não indiscriminadamente: *somos* um deles; nele, agimos e falamos diretamente, enquanto, frequentemente, esperamos ansiosos a resposta de outra pessoa, inconscientes do fato de que somos nós que controlamos seus movimentos e sua fala, tanto quanto os nossos.

Como pode a ideia de pluralidade (tão enfaticamente combatida pelos autores dos Upanixades), afinal, aparecer? A consciência se encontra intimamente relacionada e dependente do estado físico de uma região limitada de matéria: o corpo. (Consideremos as alterações da mente durante o desenvolvimento do corpo, como a puberdade, o envelhecimento, a senilidade etc., ou considerem os efeitos da febre, da intoxicação, da narcose, das lesões cerebrais e assim por diante.) Ora, existe uma grande pluralidade de corpos semelhantes. Logo, a pluralização da consciência ou da mente parece uma hipótese muito sugestiva. Provavelmente, toda pessoa simples e inocente – bem como a maioria dos grandes filósofos ocidentais – aceitou isso.

Isso leva quase imediatamente à invenção das almas, tantas quantos corpos existirem, e à questão de saber se elas são mortais, como o corpo, ou se são imortais e capazes de existir por si mesmas. A primeira alternativa não é atraente, enquanto a segunda francamente esquece, ignora ou desautoriza os fatos sobre os quais repousa a hipótese da pluralidade. Muitas questões tolas têm sido colocadas: será que animais têm almas? Já se questionou, mesmo, sobre se as mulheres, ou apenas os homens, têm alma.

Tais consequências, ainda que não tenham caráter definitivo, devem fazer-nos desconfiar da hipótese da pluralidade, que é comum a todos os credos oficiais ocidentais. Não estaríamos incorrendo numa insensatez muito maior se, ao descartarmos suas grosseiras superstições, retivéssemos sua ingênua ideia de uma pluralidade de almas,

100 ERWIN SCHRÖDINGER

mas "remediando-a" ao declarar que as almas são efêmeras que serão aniquiladas com os respectivos corpos?

A única alternativa possível consiste apenas em reter da experiência imediata que a consciência é um singular cujo plural é desconhecido; que *existe* apenas uma coisa e o que parece ser uma pluralidade é apenas uma série de aspectos diferentes dessa mesma coisa, produzidos por um engano (o termo indiano MAYA). A mesma ilusão é produzida em uma galeria de espelhos e, do mesmo modo, Gaurisankar e o monte Everest acabam por ser o mesmo cume visto de vales diferentes.

Há, é claro, bem elaboradas histórias de fantasmas fixadas em nossas mentes que nos impedem de aceitar algo tão simples. Diz-se, por exemplo, que há uma árvore ali fora, perto de minha janela, mas, na verdade, eu não a vejo. Por algum ardiloso artifício, do qual apenas os passos iniciais e relativamente simples são explorados, a árvore real projeta uma imagem em minha consciência e é disso que me apercebo. Se você ficar a meu lado e olhar para a mesma árvore, esta projetará também uma imagem em sua alma. Eu vejo minha árvore e você, a sua (notavelmente igual à minha) e o que a árvore é em si mesma nós não o sabemos. Kant é o responsável por essa extravagância. Na ordem das ideias, que considera a consciência um *singulare tantum*, ela é convenientemente substituída pela afirmação de que obviamente existe apenas uma árvore e toda essa trama de imagens é uma história de fantasmas.

Ainda assim, cada um de nós tem a indiscutível impressão de que a soma total de suas experiências e reminiscências forma uma unidade muito distinta da de qualquer outra pessoa. A pessoa se refere a si própria como "Eu". *O que é esse "Eu"?*

Se analisar de perto, verá, penso, que ele é pouco mais que uma coleção de dados singulares (experiências e memórias), nomeadamente, a tela *sobre a qual* eles são coletados. E verá, numa introspecção mais cuidadosa, que o que você realmente quer dizer por "Eu" é essa base sobre a qual eles são coletados. Você pode ir para um país distante, perder o contato com seus amigos, tudo, menos esquecê-los. Você adquire novos amigos e compartilha com eles sua vida tão intensamente quanto o fazia com os antigos. Cada vez menos importante se tornará o fato de que, enquanto vive sua nova vida, você ainda se lembra da antiga. "O jovem que eu fui"; você pode vir a falar dele na terceira pessoa, quando na verdade o protagonista da novela que você lê está provavelmente muito próximo de seu coração, por certo mais intensamente vivo e mais bem conhecido por você. E, ainda assim, não houve uma quebra intermediária, não houve morte. E mesmo que um habilidoso hipnotizador conseguisse apagar completamente, todas as nossas reminiscências mais antigas, não concluiria que ele *nos* tivesse morto. Em caso nenhum há a deplorar a perda da existência de um indivíduo.

Nem nunca haverá.

Nota ao epílogo

O ponto de vista defendido aqui é comparável ao que Aldous Huxley recentemente chamou – e de forma muito apropriada – *A filosofia perene* (*The Perennial Philosophy*. London: Chatto and Windus, 1946). Seu maravilhoso livro é particularmente feliz ao explicar não apenas o estado de coisas, mas também por que este é tão difícil de apreender e tão sujeito a encontrar oposição.

MENTE E MATÉRIA
AS CONFERÊNCIAS DE TARNER

Proferidas no Trinity College, Cambridge, em outubro de 1956

*Ao
meu famoso e
querido amigo
HANS HOFF
com profunda devoção.*

1

A BASE FÍSICA DA CONSCIÊNCIA

O problema

O mundo é um construto de nossas sensações, percepções, reminiscências. Convém considerar que ele exista objetivamente por si só. Mas, certamente, não se torna evidente por sua mera existência. O tornar-se evidente depende de acontecimentos muito especiais, que ocorrem em partes muito especiais desse próprio mundo, a saber, de determinados eventos que acontecem no nível do cérebro. Esse é um tipo extraordinariamente peculiar de implicação, que suscita a pergunta: que propriedades particulares distinguem estes processos cerebrais e lhes permitem produzir a evidência? Poderíamos adivinhar quais processos materiais teriam este poder e quais não o teriam? Ou, mais simplesmente: que espécie de processo material está diretamente associado à consciência?

Um racionalista poderia sentir-se inclinado a tratar essa questão do modo conciso, mais ou menos como se segue. De nossa própria experiência e da analogia com os animais superiores, a consciência está vinculada a determinadas espécies de fenômenos da matéria viva organizada, isto é, a determinadas funções nervosas. Até onde seria possível retroceder ou "descer" na escala do reino animal e ainda encontrar alguma espécie de consciência, e como seria ela em seus estágios iniciais... são especulações gratuitas, perguntas que não podem

108 ERWIN SCHRÖDINGER

ser respondidas e que deveriam ser deixadas aos sonhadores ociosos. É ainda mais gratuito permitir-se pensar sobre se talvez outros eventos – fenômenos da matéria inorgânica, para não falar em todos os fenômenos materiais – também estariam de uma maneira ou de outra associados à consciência. Tudo isso é pura fantasia, tão irrefutável quanto indemonstrável e, portanto, sem valor para o conhecimento. Quem aceitar essa rude eliminação da questão deverá estar ciente da temível lacuna que, assim consentida, permanecerá em sua visão do mundo. Pois o aparecimento de neurônios e cérebros em determinadas classes de organismos é um evento muito especial, cujo significado e importância são indiscutíveis. Consiste num tipo especial de mecanismo, pelo qual o indivíduo reage a situações alternativas, alternando seu comportamento de acordo com elas, um mecanismo para adaptação a um meio circundante em transformação. É o mais elaborado e o mais engenhoso entre todos esses mecanismos, e sempre que aparece conquista rapidamente um papel dominante. Contudo, não é *sui generis*. Grandes grupos de organismos, em particular as plantas, obtêm desempenhos bem semelhantes de uma maneira inteiramente diferente.

Estaríamos preparados para acreditar que essa virada muito especial no desenvolvimento dos animais superiores, uma virada que poderia, afinal, não ter ocorrido, seria uma condição necessária para o mundo se ver, clara e subitamente à luz da consciência? Teria o mundo, de outro modo, sido uma representação perante plateias vazias, não existindo para ninguém e, propriamente falando, não existindo? Tal visão do mundo me pareceria um completo desastre. A necessidade de encontrar uma saída para esse impasse não deverá ser desencorajada pelo temor de se ficar sujeito ao escárnio dos sábios racionalistas.

De acordo com Espinosa, toda coisa ou ser particular é uma modificação da substância infinita, isto é, de Deus. Expressa-se por meio de cada um dos atributos de Deus, em particular o da extensão e o do pensamento. O primeiro é a existência corporal no espaço e tempo; o segundo é – no caso de um homem ou animal vivo – sua mente. Mas, para Espinosa, qualquer coisa corpórea inanimada é ao mesmo tempo também "um pensamento de Deus", isto é, persiste também no segundo atributo. Encontramos aqui o audaz pensamento da animação universal, embora não pela primeira vez, nem sequer mesmo na filosofia ocidental. Há dois mil anos, os filósofos jônicos ganharam, por causa disso, o epíteto de *hilozoístas*. Depois de Espinosa, o gênio de Gustav Theodor Fechner não teve medo de atribuir uma alma a uma planta, à Terra como corpo celeste, ao sistema planetário etc. Não concordo com essas fantasias, mas, não obstante, não gostaria de ter de julgar quem teria chegado mais perto da verdade mais profunda, se Fechner ou se os falidos do racionalismo.

Uma tentativa de resposta

Vemos que todas as tentativas de se estender o domínio da consciência, perguntando-nos a nós próprios se alguma coisa desse tipo poderia estar razoavelmente associada com outros processos, de caráter não nervosos, devem necessariamente entrar no domínio da especulação não demonstrada e não demonstrável. Mas caminhamos em solo mais firme quando começamos na direção oposta. Nem todo processo nervoso, muito menos todo processo cerebral, é acompanhado de consciência. Muitos deles não o são, mesmo que fisiológica e biologicamente sejam bem parecidos com os "conscientes", tanto por consistirem frequentemente em impulsos aferentes seguidos pelos eferentes, como por sua importância biológica de regularem e sincronizarem reações em parte dentro do sistema, em parte em relação a um ambiente em transformação. No primeiro exemplo, encontramos as ações reflexas nos gânglios vertebrais e naquela parte do sistema nervoso que controlam. Mas também (e isso deverá constituir o nosso estudo especial) existem muitos processos reflexivos que realmente passam pelo cérebro e, ainda assim, não chegam de fato à consciência ou praticamente pararam de fazê-lo. No último caso, a distinção não é nítida; ocorrem graus intermediários entre o totalmente consciente e completamente inconsciente. Se examinarmos vários representantes de processos fisiologicamente muito semelhantes, todos eles ocorrendo dentro de nosso próprio corpo, não deveria ser tão difícil descobrir, por meio da observação e do raciocínio, as características distintivas que estamos procurando.

Para mim, a chave deverá ser encontrada nos seguintes fatos bem conhecidos. Qualquer sucessão de eventos nos quais tomemos parte por meio de sensações, percepções e, possivelmente, de ações, gradualmente cairá fora do domínio da consciência quando a mesma sequência de eventos se repetir, da mesma maneira e com elevada frequência. Mas será imediatamente elevada à região consciente se, em tal repetição, a ocasião ou as condições ambientais encontradas em sua busca diferirem daquelas que existiram em todas as incidências anteriores. Mesmo assim, inicialmente, de algum modo, somente aquelas modificações

110 ERWIN SCHRÖDINGER

ou "diferenciais" penetram na esfera do consciente, distinguindo a nova incidência das anteriores e, dessa forma, reclamando "novas considerações". De tudo isso, cada um de nós poderá oferecer dezenas de exemplos da experiência pessoal e, portanto, poderei deixar de enumerá-los no momento.

O desaparecimento gradual da consciência é de considerável importância para a estrutura total de nossa vida mental, que se baseia integralmente no processo de adquirir prática com a repetição, um processo que Richard Semon generalizou no conceito de *Mneme*, sobre o qual teremos mais a dizer, posteriormente. Uma experiência isolada que nunca deverá se repetir é biologicamente irrelevante. O valor biológico repousa somente no aprendizado da reação apropriada a uma situação que se oferece repetidamente, em muitos casos periodicamente, e sempre exige a mesma resposta caso se queira que o organismo se mantenha. Ora, de nossa experiência interior, sabemos o seguinte: nas primeiras poucas repetições, um novo elemento surge na mente, o "já visto antes" ou "notal", como Richard Avenarius o denominou. Com uma repetição frequente, toda a sequência de eventos torna-se mais e mais rotineira, torna-se mais e mais desinteressante, as respostas tornam-se cada vez mais confiáveis, à medida que desaparecem da consciência. O menino recita seu poema, a menina toca ao piano a sonata "quase a dormir". Seguimos o caminho habitual até o nosso local de trabalho, atravessamos a rua nos lugares costumeiros, viramos nas ruas secundárias etc., enquanto nossos pensamentos se ocupam de coisas inteiramente diferentes. Mas sempre que a situação exibir um diferencial relevante – digamos, por exemplo, que a rua esteja impedida no local onde costumávamos cruzá-la, de forma que tenhamos que tomar um desvio – esse diferencial e nossa resposta a ele penetram na consciência, da qual, contudo, logo desaparecerão para uma posição abaixo do limiar, se o diferencial se transformar numa característica constantemente repetida. Diante das alternativas, bifurcações se desenvolvem e podem ser fixadas da mesma maneira. Caminhamos para as Salas de Conferências da Universidade ou para o Laboratório de Física precisamente pelos mesmos caminhos, sem pensar muito, desde que ambas as direções sejam trilhadas com frequência.

Ora, desta maneira, os diferenciais, variantes de resposta, bifurcações etc., empilham-se uns sobre os outros, em insondável abundância, mas somente os mais recentes permanecem no domínio da consciência, somente aqueles em relação aos quais a substância viva ainda se encontra no estágio de aprendizado ou prática. Poder-se-ia dizer, metaforicamente, que a consciência é o tutor que supervisiona a educação da substância viva, mas deixa seu aluno sozinho para que lide com todas aquelas tarefas para as quais já esteja suficientemente adestrado. Mas desejo sublinhar, três vezes e a tinta vermelha, que menciono isto apenas como uma metáfora. O fato é apenas este: as novas situações e as novas respostas que aquelas suscitam são mantidas à luz da consciência; as velhas e também as bem praticadas já não o são. Centenas e centenas de manipulações e desempenhos da vida cotidiana tiveram de ser aprendidas uma vez, e com grande atenção e árduo cuidado. Tomemos como exemplo as primeiras tentativas de uma criança para andar. Estão eminentemente no foco de sua consciência; os primeiros sucessos são saudados pela criança com gritos de júbilo. Quando o adulto amarra os cordões das suas botas, acende a luz, despe suas roupas à noite, come com garfo e faca..., tais desempenhos, tudo aquilo que teve de ser aprendido arduamente, não lhe perturbam em nada os pensamentos nos quais possa estar absorto. Ocasionalmente, isso pode levar a erros cômicos. Conta-se aquela história de um famoso matemático, cuja esposa o teria encontrado deitado em sua cama, com as luzes do quarto apagadas, pouco depois de iniciada uma festa noturna em sua casa. Que acontecera? Ele fora ao seu quarto para colocar um novo colarinho. Mas a mera ação de despir o colarinho velho liberara no homem, profundamente entretido em seus pensamentos, a sequência de ações que habitualmente suscitava.

Parece-me que todo esse estado de coisas, tão conhecido da *ontogenia* de nossa vida mental, lança uma luz sobre a *filogenia* dos processos nervosos inconscientes, como nos batimentos cardíacos, no peristaltismo do intestino etc. Confrontados com situações quase constantes ou regularmente em transformação, são praticados correta e confiavelmente e, portanto, há muito saíram da esfera da consciência. Também aqui encontramos graus intermediários, por exemplo, a respiração, que geralmente acontece sem intervenção do pensamento, mas poderá, por conta de diferenciais na situação, digamos, num ambiente esfumaçado ou num ataque de asma, modificar-se e se tornar consciente. Outro exemplo é cair em lágrimas por tristeza, júbilo ou dor física, evento que, embora consciente, dificilmente será dominado pela vontade. Também acontecem erros cômicos devidos a uma natureza herdada mnemonicamente, como o eriçar dos cabelos em situação de terror, uma excitação intensa levando à interrupção na secreção de saliva, respostas que devem ter tido algum significado no passado, mas que se perdeu, no caso do homem.

112 ERWIN SCHRÖDINGER

Duvido que todos concordem prontamente com o próximo passo, que consiste em estender tais noções a outros processos que não os nervosos. Por ora, farei apenas uma breve menção a ele, embora, pessoalmente, considere-o o mais importante, pois tal generalização lança luz precisamente sobre o problema pelo qual comecei: quais eventos materiais estão ou não associados à consciência, ou quais são ou não acompanhados por ela? A resposta que sugiro é esta: o que há pouco dissemos e mostramos ser uma propriedade dos processos nervosos é uma propriedade dos processos orgânicos em geral, a saber, associarem-se à consciência na medida em que são novos.

Na noção e terminologia de Richard Semon, a ontogenia, não apenas do cérebro mas de todo o soma individual, é a repetição "bem memorizada" de uma sequência de eventos que ocorreram anteriormente, de maneira bem parecida, milhares de vezes. Seus primeiros estágios, como sabemos de nossa própria experiência, são inconscientes – inicialmente, no ventre materno; mas mesmo as semanas e meses de vida seguintes são, na maior parte, passados a dormir. Durante essa época, a criança passa por uma evolução de longa duração e de habituação, na qual encontra condições que variam muito pouco de um caso para outro. O desenvolvimento orgânico subsequente começa a ser acompanhado pela consciência somente até o ponto em que existam órgãos que gradualmente entram em interação com o meio ambiente, adaptam suas funções às mudanças na situação, são influenciados, ganham prática, são modificados de maneiras especiais pelo meio circundante. Nós, os vertebrados superiores, possuímos tal órgão principalmente em nosso sistema nervoso. Portanto, a consciência está associada àquelas de suas funções que se adaptam a um ambiente em transformação por meio daquilo que denominamos experiência. O sistema nervoso é o local em que nossa espécie ainda está envolvida numa transformação filogenética; metaforicamente falando, é a "copa da vegetação" (*Vegetationsspitze*) de nosso tronco. Eu resumiria a minha hipótese geral da seguinte maneira: a consciência está associada ao *aprendizado* da substância viva; seu *saber (Können)* é inconsciente.

Ética

Mesmo sem esta última generalização, que, para mim, é muito importante, mas ainda parece um tanto duvidosa para outros, a teoria da consciência que esbocei parece pavimentar o caminho rumo a uma compreensão científica da ética.

MENTE E MATÉRIA   113

Em todas as épocas e entre todos os povos, o histórico de todo código de ética (*Tugendlehre*) levado a sério tem sido, e é, uma autonegação (*Selbstüberwindung*). O ensino da ética assume sempre a forma de uma demanda, de um desafio, de um "tu deves", que de alguma forma se opõe à nossa vontade primitiva. Viria daí esse peculiar contraste entre "eu quero" e o "tu deves"? Não é absurdo que eu tenha a obrigação de abolir meus apetites primitivos, despojar-me do meu verdadeiro eu, ser diferente daquilo que realmente sou? De fato, em nossos dias, talvez mais que em outros tempos, ouvimos zombar desta exigência muitas vezes. "Sou o que sou, deem espaço para minha individualidade! Livre desenvolvimento para os desejos que a natureza plantou em mim! Todas as obrigações que se opõem a mim nesse aspecto não têm sentido, são contos do vigário. Deus é Natureza, e podemos dar crédito à Natureza por ter-me formado como ela deseja que eu seja." Ouvimos tais *slogans* ocasionalmente. Não é fácil refutar sua obviedade direta e brutal. O imperativo de Kant é declaradamente irracional.

Mas, felizmente, o fundamento científico desses *slogans* é decrépito. Nossa compreensão do "devir" (*das Werden*) dos organismos torna fácil entender que nossa vida consciente – não direi que deverá ser, mas que, de fato, é necessariamente uma luta contínua contra nosso ego primitivo. Pois nosso eu natural, nossa vontade primitiva com seus desejos inatos, é obviamente o correlato mental do legado material recebido de nossos ancestrais. Como espécie, estamos nos desenvolvendo e marchamos na linha de frente das gerações; portanto, cada dia da vida de um homem representa uma pequena parte da evolução de nossa espécie, que ainda está em plena ação. É verdade que um único dia da vida de uma pessoa, ou mesmo a vida de qualquer indivíduo como um todo, não é mais que um minúsculo golpe do cinzel numa estátua nunca terminada. Mas a enorme evolução global que sofremos no passado também foi ocasionada por miríades de tais minúsculos entalhes. O material para essa transformação, a pressuposição para sua ocorrência, são, é claro, as mutações espontâneas hereditárias. Contudo, para uma seleção entre elas, o comportamento do portador da mutação, seus hábitos de vida, têm uma enorme importância e uma influência decisiva. De outra forma, a origem das espécies, as tendências ostensivamente direcionadas ao longo das quais caminha a seleção, não poderiam ser compreendidas mesmo nos longos espaços de tempo que, afinal, são limitados e cujos limites conhecemos muito bem.

E assim, a cada passo, a cada dia de nossa vida, por assim dizer, algo da forma que possuíamos até então deverá mudar, ser superado, ser excluído e substituído por algo novo. A resistência de nosso desejo primitivo é o correlato psíquico da resistência da forma já existente ao cinzel da transformação, pois nós mesmos somos o cinzel e a estátua, conquistadores e conquistados ao mesmo tempo – em uma verdadeira e contínua "autoconquista" (*Selbstüberwindung*).

Mas não seria absurdo sugerir que esse processo de evolução devesse cair direta e significativamente na consciência, considerando sua morosidade imoderada, não somente em comparação com a curta duração de uma vida individual, mas mesmo com as épocas históricas? Não passaria simplesmente despercebido?

Não. À luz de nossas considerações anteriores, não é assim. Elas culminaram na consideração da consciência como algo associado a processos fisiológicos que ainda estão sendo transformados por interação mútua com um ambiente em transformação. Mais ainda, concluímos que só se tornaram conscientes aquelas modificações que ainda estão no estágio de treinamento, até que, num momento bem mais tardio, se transformem numa posse hereditariamente fixada, bem treinada e inconsciente da espécie. Em resumo: a consciência é um fenômeno da zona de evolução. Este mundo ilumina a si mesmo somente naquele lugar ou somente enquanto se desenvolve, procria novas formas. Pontos de estagnação escapam da consciência; só podem aparecer em sua interação com pontos de evolução.

Se isso for aceito, segue-se que a consciência e a discordância com o próprio eu estão inseparavelmente vinculadas, mesmo que devessem, por assim dizer, ser proporcionais entre si. Isso parece um paradoxo, mas os mais sábios de todos os tempos e todos os povos testemunharam-no e confirmaram-no. Homens e mulheres para os quais este mundo era iluminado por uma extraordinária e brilhante luz da consciência e que por sua vida e palavra, mais que outros, formaram e transformaram esse trabalho de arte a que denominamos humanidade, testemunharam pelo que disseram ou escreveram, ou mesmo por suas próprias vidas que, mais que outros, sofreram a dor cruciante da contradição íntima. Que isso sirva de consolo àquele que também sofre disso. Sem essa discórdia, jamais algo de permanente foi gerado.

Por favor, não me entendam mal. Sou cientista, não professor de moral. Não entendam com isso que desejo propor a ideia de que nossa espécie se desenvolva rumo a uma meta superior como um motivo eficiente para propagar o código moral. Isso não seria possível, já que é uma meta não egoísta, um motivo desinteressado e, portanto, para ser

MENTE E MATÉRIA 115

aceito, pressupõe já a virtude. Sinto-me tão incapaz quanto qualquer pessoa para explicar o "dever" do imperativo de Kant. A lei ética, na sua forma geral mais simples (sê altruísta!) é claramente um fato, está lá e mesmo a grande maioria daqueles que não a obedecem, frequentemente concorda com ela. Considero sua enigmática existência como um indício de que nosso ser se encontra no início de uma transformação biológica, de uma atitude geral egoísta para uma altruísta, do homem ter como propósito o transformar-se em *animal social*. Para um egoísmo animal solitário, o egoísmo é uma virtude que tende a preservar e melhorar a espécie; em qualquer tipo de comunidade, torna-se um vício destrutivo. Um animal que embarque na formação de sociedades, sem restringir em muito o egoísmo, perecerá. Formadores de sociedades filogeneticamente bem mais antigos, como as abelhas, as formigas e as térmitas, abandonaram completamente o egoísmo. Contudo, no estágio seguinte, o egoísmo nacional, ou simplesmente o nacionalismo, ainda está entre eles em pleno desenvolvimento. Uma abelha operária que, extraviada, vai até a colmeia errada, é morta sem hesitação.

No homem, ao que parece, está acontecendo algo que não é infrequente. Acima da primeira modificação, indícios claros de uma segunda num sentido semelhante são perceptíveis, muito antes que a primeira esteja próxima de ser realizada. Embora ainda sejamos extremamente egoístas, muitos de nós começam a enxergar que também o nacionalismo é um vício do qual é necessário desistir. Aqui, talvez, apareça algo muito estranho. A segunda etapa, a pacificação da luta entre os povos, pode ser facilitada pelo fato de a primeira etapa estar longe de ser concluída, de forma que os motivos egoístas ainda têm um forte apelo. Cada um de nós é ameaçado pelas novas e terríveis armas de agressão, sendo, portanto, induzido a ansiar pela paz entre as nações. Se fôssemos abelhas, formigas ou guerreiros lacedemônios, para quem não existe temor pessoal e covardia é a coisa mais vergonhosa do mundo, a guerra perduraria para sempre. Mas felizmente, somos apenas homens – e covardes.

As considerações e conclusões deste capítulo são, para mim, velhas conhecidas; remontam há mais de trinta anos. Nunca as perdi de vista, mas fiquei com muito medo de que elas pudessem ser rejeitadas com a desculpa de que parecem estar baseadas na "herança de caracteres adquiridos" ou, em outras palavras, no lamarckismo. Não estamos inclinados a aceitar essa visão. Contudo, mesmo rejeitando a herança dos caracteres adquiridos, ou, em outras palavras, aceitando a Teoria da Evolução de Darwin, achamos que o comportamento dos indivíduos de uma espécie tem uma influência muito significativa sobre a tendência da evolução, simulando, dessa forma, uma espécie de falso-lamarckismo. Isso é explicado e estabelecido de forma conclusiva pela autoridade de Julian Huxley no próximo capítulo, que, contudo, foi escrito tendo em vista um problema ligeiramente diferente e não apenas o de emprestar sustentação às ideias explicitadas anteriormente.

2

O FUTURO DA COMPREENSÃO[1]

Um beco sem saída biológico?

Acredito que podemos considerar como extremamente improvável que nossa compreensão do mundo represente qualquer estágio definitivo ou final, um máximo ou ótimo sob qualquer aspecto. Com isso, não estou querendo simplesmente dizer que a continuação de nossa pesquisa nas várias ciências, nossos estudos filosóficos e intento religioso provavelmente irão aperfeiçoar e melhorar nossa perspectiva presente. O que provavelmente ganharemos dessa maneira, digamos, nos próximos dois milênios e meio – estimando a partir dos progressos que conquistamos desde Protágoras, Demócrito e Antístenes – é insignificante em comparação com aquilo a que estou aludindo. Não há nenhum motivo para acreditar que nosso cérebro seja o supremo *nec plus ultra* de um órgão de pensamento no qual o mundo se reflete. É mais provável que uma espécie possa adquirir uma engenhoca semelhante cuja imagem correspondente esteja em relação à nossa, assim como a nossa está para a do cão, ou a deste para a de uma lesma.

---

1 O material deste capítulo foi transmitido pela primeira vez numa série de três palestras no Serviço Europeu da BBC, em setembro de 1950, e subsequentemente incluído em *What is Life? and other essays*, Anchor Book A 88, Doubleday and Co., New York.

Se assim for, então – embora, em princípio, não seja relevante – interessa-nos saber, ainda que por razões pessoais, se alguma coisa desse tipo pode ser conseguida em nosso mundo por nossa própria descendência ou pela descendência de alguns de nós. Está tudo certo com a Terra. É uma boa e jovem locação, que ainda deve ser dirigida sob condições aceitáveis de vida durante aproximadamente o mesmo que levamos (digamos, 1.000 milhões de anos) para evoluir desde os primórdios até aquilo que somos hoje. E quanto a nós mesmos? Está tudo certo conosco? Caso se aceite a presente teoria da evolução – e não temos nenhuma melhor – poderia parecer que estaríamos praticamente impedidos de ter um futuro desenvolvimento. Existiria ainda uma evolução física a ser esperada para o homem, ou seja, mudanças relevantes em nossa constituição física que se tornem gradualmente fixas como feições herdadas – alterações genotípicas, para usar o termo técnico do biólogo? A pergunta é difícil de responder. Podemos estar nos aproximando de um beco sem saída, podemos até tê-lo já alcançado. Esse não seria um evento excepcional e não significaria que, muito em breve, nossa espécie teria de se extinguir. Dos registros geológicos sabemos que algumas espécies ou mesmo grandes grupos parecem ter atingido o fim de suas possibilidades evolutivas há muito tempo e, não obstante, não pereceram, mas permaneceram inalterados, ou sem mudanças significativas, durante muitos milhões de anos. As tartarugas, por exemplo, e os crocodilos são, nesse sentido, grupos muito antigos, relíquias de um passado muito remoto; dizem-nos também que toda a grande classe dos insetos está mais ou menos no mesmo barco – e eles abrangem um número bem maior de espécies distintas do que todo o restante do reino animal como um todo. Mas eles alteraram-se muito pouco em milhões de anos, enquanto o restante da superfície viva da Terra sofreu, durante esse tempo, mudanças nem todas reconhecidas. O que impediu uma evolução adicional nos insetos foi provavelmente isto – eles adotaram o plano (não interpretem erroneamente essa expressão figurativa – eles adotaram o plano de vestir seu esqueleto por fora, e não por dentro, como nós o fizemos. Tal armadura externa, embora assegure proteção que se soma à estabilidade mecânica, não pode crescer como o fazem os ossos de um mamífero entre o nascimento e a maturidade. Essa circunstância está fadada a tornar muito difíceis as mudanças adaptativas graduais na história de vida do indivíduo.

No caso do homem, vários argumentos parecem militar contra uma evolução adicional. As mudanças espontâneas herdáveis – agora denominadas mutações – a partir das quais, de acordo com a teoria de

MENTE E MATÉRIA 119

Darwin, as "vantajosas" são automaticamente selecionadas, são, via de regra, apenas pequenas etapas evolutivas, propiciando, quando muito, apenas uma pequena vantagem. É por isso que, nas deduções de Darwin, uma parte importante é atribuída à geralmente imensa abundância da prole, da qual somente uma pequena fração tem a possibilidade de sobreviver. Pois somente assim é que uma pequena melhora na chance de sobrevivência parece ter uma probabilidade razoável de ser realizada. Todo esse mecanismo parece estar bloqueado no homem civilizado – e, em alguns aspectos, até invertido. Não estamos, genericamente falando, dispostos a ver as criaturas que são nossos semelhantes sofrer e perecer e, portanto, introduzimos gradualmente as instituições legais e sociais que, por um lado, protegem a vida, condenam o infanticídio sistemático, tentam ajudar os muito enfermos ou frágeis seres humanos a sobreviver, ao passo que, por outro, têm de substituir a eliminação natural dos menos aptos mantendo a prole dentro dos limites do modo de vida disponível. Isso é, em parte, obtido de uma maneira direta, pelo controle da natalidade, em parte impedindo que uma proporção considerável da população feminina acasale. Ocasionalmente – como esta geração o sabe bem demais – a insanidade da guerra e todos os desastres e as confusões que lhe seguem dão a sua contribuição para o equilíbrio. Milhões de adultos e crianças de ambos os sexos morrem de fome, de frio, de epidemias. Embora no passado bem remoto a guerra entre pequenas tribos ou clãs supostamente tivesse tido um valor seletivo positivo, parece duvidoso que o tenha tido em tempos históricos, e indubitavelmente a guerra no presente não tem nenhum. Representa uma matança indiscriminada, da mesma forma que os avanços na medicina e cirurgia resultaram num salvamento indiscriminado de vidas. Embora em nossa estima estejam, com razão, em campos diametralmente opostos, a guerra e a arte médica parecem não ter nenhum tipo de valor seletivo.

A aparente melancolia do darwinismo

Estas considerações sugerem que, como uma espécie em desenvolvimento, chegamos a uma paralisação e temos poucas perspectivas de avanço biológico futuro. Mesmo que assim o fosse, isso não precisa nos aborrecer. Podemos sobreviver sem nenhuma mudança biológica por milhões de anos, como os crocodilos e vários insetos. Ainda assim,

120 ERWIN SCHRÖDINGER

de um certo ponto de vista filosófico, a ideia é deprimente, e eu gostaria de defender o ponto de vista contrário. Para isso, preciso adentrar-me num certo aspecto da teoria da evolução, para o que encontro apoio no conhecido livro sobre Evolução[2] do professor Julian Huxley, aspecto esse que, de acordo com ele, nem sempre é suficientemente valorizado por evolucionistas recentes.

As exposições populares da teoria de Darwin são propensas a nos levar a uma visão depressiva e desanimadora por conta da aparente passividade do organismo no processo da evolução. As mutações ocorrem espontaneamente no genoma – a "substância hereditária". Temos razão para acreditar que se devam principalmente àquilo que os físicos chamam de uma flutuação termodinâmica – em outras palavras, ao puro acaso. O indivíduo não tem a menor influência sobre o tesouro hereditário que recebe de seus pais, nem sobre aquele que deixa à sua descendência. As mutações ocorridas sofrem a ação da "seleção natural do mais apto". Uma vez mais, isso parece significar puro acaso, já que significa que uma mutação favorável aumenta a perspectiva de o indivíduo sobreviver e gerar a descendência, para a qual transmite a mutação em questão. Além disso, a atividade durante sua existência parece ser biologicamente irrelevante, pois nada disso tem influência sobre a descendência: propriedades adquiridas não são herdadas. Toda habilidade ou treinamento é perdido, não deixa nenhum registro, morre com o indivíduo, não é transmitido. Um ser inteligente nessa situação acharia que a natureza, por assim dizer, recusa sua colaboração – ela faz tudo sozinha, condena o indivíduo à inatividade, de fato, ao niilismo.

Como sabemos, a teoria de Darwin não foi a primeira teoria sistemática da evolução. Foi precedida pela teoria de Lamarck, que se apoia inteiramente na suposição de que quaisquer novas características que um indivíduo tenha adquirido na sua relação com o ambiente circundante específico ou por meio de seu comportamento específico durante sua existência antes da procriação podem ser, e geralmente são, passadas à sua progênie, se não inteiramente, pelo menos deixando alguns traços. Assim, se um animal, por ter vivido sobre solo rochoso ou arenoso, produzisse calos protetores nas plantas de seus pés, sua calosidade tornar-se-ia gradualmente hereditária, de tal forma que as gerações posteriores a receberiam como um presente gratuito, sem o esforço de adquiri-la. Da mesma maneira, a força, a habilida-

---

2 *Evolution: A Modern Synthesis*, George Allen and Unwin, 1942.

MENTE E MATÉRIA 121

de ou, mesmo, a adaptação substancial produzida em qualquer órgão por ser usado continuamente para determinadas finalidades não será perdida, mas transmitida, pelo menos em parte, à descendência. Tal ponto de vista não apenas propicia uma compreensão bem simples do conceito assombrosamente elaborado e específico de adaptação ao meio ambiente, tão característica de todas as criaturas vivas. É também belo, jubiloso, estimulante e vivificante. É infinitamente mais atraente que o depressivo aspecto de passividade aparentemente oferecido pelo darwinismo. Um ser inteligente que se considera uma ligação na longa cadeia da evolução, segundo a teoria de Lamarck, pode estar confiante de que seu empenho e esforços para melhorar suas capacidades, tanto físicas como mentais, não serão perdidos, no sentido biológico; serão parte pequena, mas integrante do empenho da espécie rumo a uma maior e sempre maior perfeição.

Infelizmente, o lamarckismo é insustentável. A suposição fundamental sobre a qual se apoia, a saber, que as propriedades adquiridas podem ser herdadas, está errada. Até onde sabemos, elas não podem. Os simples passos da evolução são aquelas mutações espontâneas e fortuitas, que nada têm a ver com o comportamento do indivíduo durante sua existência. Portanto, parece que fomos lançados de volta ao aspecto melancólico do darwinismo, de que falei acima.

O comportamento influencia a seleção

Desejo agora mostrar-lhes que não é bem assim. Sem alterar nenhuma das suposições básicas do darwinismo, podemos ver que o comportamento do indivíduo, o modo como faz uso de suas faculdades inatas, desempenha um papel relevante, e não somente isso, desempenha o papel mais relevante na evolução. Existe um núcleo central bem verdadeiro no ponto de vista de Lamarck, a saber, que existe uma conexão causal indissolúvel entre o funcionamento (o aproveitamento de uma característica – um órgão, qualquer propriedade, capacidade ou característica corporal) e o fato de ele ter se desenvolvido com o passar das gerações e gradualmente se aperfeiçoado para as finalidades para as quais é utilizado proveitosamente. Essa conexão, eu dizia, entre ser usado e ser melhorado, constituía uma interpretação muito correta da teoria de Lamarck e subsiste em nossa atual perspectiva darwiniana, mas é rapidamente negligenciada ao se examinar o darwinismo de

122 ERWIN SCHRÖDINGER

forma superficial. O curso dos eventos seria praticamente o mesmo se o lamarckismo estivesse correto, apenas o "mecanismo" pelo qual as coisas acontecem é mais complicado que aquele imaginado por Lamarck. A questão não é muito fácil de explicar ou apreender e, portanto, poderia ser útil resumir de antemão o resultado. Para evitar a imprecisão, pensemos em um órgão, conquanto a característica em questão pudesse ser qualquer propriedade, hábito, dispositivo, comportamento ou, mesmo, qualquer pequena adição a, ou modificação de tal característica. Lamarck supôs que o órgão (a) é usado, (b) é portanto melhorado, e (c) a melhoria é transmitida à descendência. Isso está errado. Temos de pensar que o órgão (a) sofre variações ao acaso, (b) aqueles usados proveitosamente são acumulados ou pelo menos acentuados pela seleção, (c) isso continua de geração a geração, com as mutações selecionadas constituindo uma melhoria duradoura. A simulação mais notável do lamarckismo ocorre – de acordo com Julian Huxley – quando as variações iniciais que inauguram o processo não são mutações verdadeiras, pelo menos não do tipo hereditária. Ainda assim, se proveitosas, poderão ser acentuadas por aquilo que ele denomina seleção orgânica e, por assim dizer, pavimentam o caminho para as verdadeiras mutações que serão imediatamente incorporadas quando acontecer de estarem voltadas para a direção "desejável".

Entremos agora em alguns detalhes. O ponto mais importante é enxergar que uma característica, ou modificação de uma característica, adquirida por variação, por mutação ou por mutação mais uma pequena seleção, poderá facilmente levar o organismo, em relação a seu ambiente, a uma atividade que tende a aumentar a utilidade dessa característica e, portanto, a "garra" da seleção sobre ela. Com a posse da nova característica ou da característica modificada, o indivíduo poderá alterar seu ambiente – seja realmente transformando-o, ou por migração – ou alterar seu comportamento em relação ao ambiente, tudo isso de uma maneira tão poderosa que reforça a utilidade da nova característica e, portanto, acelera sua melhoria seletiva posterior na mesma direção.

Essa asserção pode chocar pela ousadia, já que parece exigir um propósito por parte do indivíduo e, mesmo, um elevado grau de inteligência. Mas desejo defender que minha afirmativa, embora inclua, é claro, comportamento inteligente e intencional dos animais superiores, de forma alguma se restringe a isso. Vamos dar alguns exemplos:

MENTE E MATÉRIA 123

Nem todos os indivíduos de uma população têm exatamente o mesmo ambiente. Algumas das flores de espécies silvestres crescem à sombra, outras, em locais ensolarados, outras, em locais mais elevados da encosta de uma montanha alta e outras, ainda, em regiões mais baixas ou no vale. Uma mutação – digamos, a folhagem peluda – que é benéfica em altitudes elevadas, será favorecida pela seleção nos limites mais altos, mas será "perdida" no vale. Verificar-se-ia o mesmo se mutantes com pelos tivessem migrado rumo a um ambiente que favorecesse mutações adicionais que ocorressem na mesma direção.

Outro exemplo: a capacidade de voar permite que os pássaros construam seus ninhos no alto das árvores, onde seus filhos estão mais resguardados do ataque de alguns de seus inimigos. Inicialmente, aqueles que adotaram aquele tipo de ninho demonstraram possuir uma vantagem seletiva. O segundo passo é que esse tipo de moradia estava predestinada a selecionar voadores proficientes entre os jovens. Assim, uma certa capacidade de voar produz uma mudança de ambiente, ou comportamento para com o ambiente, que favorece uma acumulação da mesma habilidade.

A característica mais notável entre os seres vivos é que estão divididos em espécies que são, muitas delas, incrivelmente especializadas em desempenhos particulares, muitas vezes complicados, dos quais particularmente dependem para a sobrevivência. Um jardim zoológico é quase uma exposição de curiosidades e seria ainda mais se pudesse incluir uma panorâmica da história da vida dos insetos. A não especialização é a exceção. A regra é a especialização em truques peculiares deliberados nos quais "ninguém teria pensado se a natureza não o tivesse feito". É difícil de acreditar que todos eles resultaram da "acumulação casual" darwiniana. Quer queiramos ou não, ficamos com a impressão de que forças ou tendências nos afastam do "puro e simples" em certas direções rumo ao complicado. O "puro e simples" parece representar um estado de coisas instável. Afastar-se dele – assim parece – provoca forças que favorecem maior afastamento e na mesma direção. Isso seria difícil de entender se o desenvolvimento de um determinado dispositivo, mecanismo, órgão, comportamento útil, fosse produzido por uma longa cadeia de eventos casuais, independentes entre si, como estamos acostumados a pensar em termos da concepção original de Darwin. Na verdade, acredito, somente o primeiro e pequeno início "numa direção certa" tem tal estrutura. Ele produz circunstâncias que "martelam o material plástico" – por seleção – mais e mais sistematicamente na direção da vantagem conquistada no ponto de partida. Numa linguagem metafórica, poderíamos dizer: a espécie

124 ERWIN SCHRÖDINGER

descobriu para que direção está voltado seu acaso na vida e persegue esse caminho.

Lamarckismo dissimulado

Devemos tentar compreender de um modo geral e formular de uma maneira não animística os termos em que uma mutação casual, que dá ao indivíduo uma certa vantagem e favorece sua sobrevivência em um dado ambiente, deveria tender a fazer mais que isso, ou seja, aumentar as oportunidades de fazer um uso proveitoso deste, de maneira a concentrar em si mesmo, por assim dizer, a influência seletiva do ambiente.

Para revelar esse mecanismo, esquematizemos a descrição do ambiente como um conjunto de circunstâncias favoráveis e desfavoráveis. Entre as primeiras, estão a comida, a bebida, o abrigo, a luz do sol e muitas outras; entre as últimas, estão os perigos trazidos por outros seres vivos (inimigos), os venenos e a rudeza dos elementos da natureza. Em prol da concisão, iremos nos referir à primeira categoria como "necessidades" e, à segunda, como "adversidades". Nem toda necessidade pode ser satisfeita, nem toda adversidade pode ser evitada. Mas uma espécie viva precisa ter adquirido um comportamento que aceite um compromisso de evitar as adversidades mais mortais e satisfazer as necessidades mais urgentes a partir das fontes de mais fácil acesso, para que de fato sobreviva. Uma mutação favorável facilita o acesso a certas fontes ou reduz o perigo de determinadas adversidades, ou ambas as coisas. Aumenta, portanto, a chance de sobrevivência dos indivíduos que a possuem, mas, adicionalmente, muda o compromisso mais favorável, pois altera os pesos relativos daquelas necessidades ou adversidades nas quais se apoia. Os indivíduos que – por acaso ou inteligência – mudam seu comportamento de acordo com isso serão os mais favorecidos e, portanto, selecionados. Essa mudança de comportamento não é transmitida à geração seguinte pelo genoma, nem por herança direta, o que não quer dizer que não seja transmitida. O exemplo mais simples e mais primitivo é dado por nossa espécie de flores (com um hábitat ao longo de uma extensa encosta na montanha) que desenvolve um mutante com pelos. Os mutantes com pelos, favorecidos principalmente nas regiões altas, dispersam suas sementes nessas áreas, de tal modo que a geração seguinte de "peludas", tomada como um todo, "subiu a encosta", por assim dizer, "para fazer melhor uso de sua mutação favorável".

MENTE E MATÉRIA   125

Em tudo isso, é necessário lembrar que, como regra, a situação como um todo é extremamente dinâmica, a luta é muito dura. Numa população razoavelmente prolífica que, no momento, sobrevive sem crescimento apreciável, as adversidades geralmente sobrepujam as necessidades – a sobrevivência individual é exceção. Além disso, as adversidades e necessidades frequentemente estão acopladas, de forma que uma necessidade coercitiva só pode ser satisfeita enfrentando uma certa adversidade. (Por exemplo, o antílope precisa ir até o rio para beber, mas o leão conhece o local tão bem quanto ele.) Adversidades e necessidades se entrelaçam formando um padrão global extremamente complexo. Assim, a leve redução de um determinado perigo por uma dada mutação pode fazer uma considerável diferença para aqueles mutantes que enfrentam tal perigo e, dessa forma, evitam outros. Isso pode resultar em uma seleção perceptível não apenas da característica genética em questão, mas também no tocante à habilidade (intencional ou fortuita) de utilizá-la. Esse tipo de comportamento é transmitido à descendência pelo exemplo, pelo aprendizado, num sentido generalizado do torno. A mudança de comportamento, por sua vez, amplifica o valor seletivo de qualquer mutação adicional na mesma direção.

O efeito de tal demonstração pode guardar uma grande similaridade com o mecanismo descrito por Lamarck. Embora nem um comportamento adquirido, nem quaisquer alterações físicas que ele acarreta sejam transmitidos diretamente à descendência, ainda assim o comportamento tem uma importante influência no processo. Mas a relação causal não é aquilo que Lamarck achava que era, mas exatamente o oposto. Não é que o comportamento mude o físico dos pais e, por herança física, o da descendência. É a mudança física nos pais que modifica – direta ou indiretamente, por seleção – seu comportamento; e essa alteração de comportamento, pelo exemplo, pelo ensino ou mesmo mais primitivamente, é transmitida à progênie, juntamente com a alteração física transferida pelo genoma. Mais ainda, mesmo que a mudança física ainda não tenha já caráter hereditário, a transmissão do comportamento induzido "pelo ensino" pode ser um fator evolutivo altamente eficiente, pois escancara a porta para receber futuras mutações hereditárias com uma prontidão preparada para fazer o melhor uso delas e, portanto, sujeitá-las a uma intensa seleção.

Fixação genética de hábitos e habilidades

Poder-se-ia objetar que aquilo que aqui descrevemos poderia acontecer ocasionalmente, mas não poderia continuar indefinidamente, para formar o mecanismo essencial da evolução adaptativa, pois a própria mudança do comportamento não é transmitida por herança física, nem pela substância hereditária, os cromossomos. Inicialmente, portanto, não é fixada geneticamente e é difícil ver como poderia chegar a ser incorporada no tesouro hereditário. Esse é um problema importante, por si só, pois de fato sabemos que os hábitos são herdados, como, por exemplo, os hábitos de nidificação dos pássaros, os vários hábitos de higiene que observamos nos nossos cães e gatos, para mencionar alguns exemplos óbvios. Se isso não pudesse ser compreendido segundo as linhas darwinianas ortodoxas, o darwinismo teria de ser abandonado. A questão ganha um significado singular em sua aplicação ao homem, uma vez que desejamos inferir que o empenho e o labor de um homem durante sua existência constituem uma contribuição integrante para o desenvolvimento da espécie, no verdadeiro sentido biológico. Acredito que a situação seja a descrita sucintamente a seguir.

De acordo com nossas suposições, as mudanças de comportamento equiparam-se às alterações físicas, primeiro, como uma consequência de uma mudança casual do último mas, logo depois, direcionando o mecanismo de seleção adicional para canais definidos pois, uma vez que o comportamento tenha se aproveitado dos primeiros benefícios rudimentares, somente mutações adicionais na mesma direção têm algum valor seletivo. Mas à medida que (permitam-me a expressão) o novo órgão se desenvolve, o comportamento se torna mais e mais vinculado à sua mera posse. O comportamento e o físico fundem-se e se transformam em um. Você não pode simplesmente possuir mãos espertas sem usá-las para alcançar os objetivos, eles passariam a constituir um empecilho (como frequentemente acontece para um amador no palco, pois ele só tem objetivos fictícios). Não se pode ter asas eficientes sem tentar voar. Não se pode ter um aparelho fonador sem tentar imitar os ruídos ouvidos ao redor. Diferenciar entre posse de um órgão e a necessidade de usá-lo e aumentar sua aptidão pela prática, considerá-los duas características diferentes do organismo em questão, seria uma distinção artificial, tornada possível por uma linguagem abstrata, mas sem uma contrapartida na natureza. Não devemos, é claro, pensar que, no final de contas o "comportamento" invade e penetra gradualmente a estrutura do cromossomo (ou que não) e lá adquire *loci*. São os próprios órgãos novos (e eles de fato se tornam geneticamente fixados) que trazem consigo o hábito e o modo de os usar. A seleção seria impotente para "produzir" um novo órgão se não fosse auxiliada o tempo todo pelo fato de o organismo fazer um uso apropriado desse novo órgãos. E isso é essencial. Dessa forma, as duas coisas caminham quase paralelamente e em última instância, ou de fato, em cada estágio, são fixadas geneticamente como uma única coisa: *um órgão usado* – como se Lamarck estivesse certo.

É esclarecedor comparar esse processo natural com a construção de um instrumento pelo homem. À primeira vista, parece existir um contraste marcante. Se fabricássemos um mecanismo delicado, na maioria dos casos iríamos estragá-lo se fôssemos impacientes e tentássemos usá-lo seguidamente muito antes que estivesse terminado. A natureza, somos inclinados a dizer, procede de maneira diferente. Ela só pode produzir um novo organismo e seus órgãos enquanto estiverem sendo continuamente usados, testados, examinados quanto a sua eficiência. Mas, na verdade, esse paralelo está errado. A construção de um mero instrumento pelo homem corresponde à ontogênese, isto é, ao crescimento de um indivíduo isolado desde a semente até a maturidade. Aqui também a inferência não é bem-vinda. Os jovens precisam ser protegidos, não devem ser colocados a trabalhar antes que tenham adquirido a força e a aptidão total de sua espécie. O verdadeiro paralelo do desenvolvimento evolutivo dos organismos poderia ser ilustrado, por exemplo, por uma exposição histórica de bicicletas, mostrando como essa máquina mudou gradualmente de ano a ano, de década a década ou, da mesma maneira, de locomotivas, automóveis, aeroplanos, máquinas de escrever etc. Aqui, como no processo natural, é obviamente essencial que a máquina em questão deva ser continuamente usada e portanto melhorada; não literalmente melhorada pelo uso, mas pela experiência obtida e alterações sugeridas. A bicicleta, por sinal, ilustra o caso, mencionado anteriormente, de um velho organismo, que atingiu a perfeição possível e, portanto, praticamente cessou de sofrer novas mudanças. Ainda assim, não está em vias de se extinguir!

Perigos para a evolução intelectual

Retornemos ao início deste capítulo. Começamos com a pergunta: seria provável um desenvolvimento biológico adicional no homem? Acredito que nossa discussão trouxe para o primeiro plano dois pontos relevantes.

128 ERWIN SCHRÖDINGER

O primeiro é a importância biológica do comportamento. Ao se conformar às faculdades inatas bem como ao ambiente e ao se adaptar às mudanças nesses dois fatores, o comportamento, embora não herdado, pode contudo acelerar o processo de evolução em ordens de magnitude. Embora nas plantas e nas esferas inferiores do reino animal o comportamento adequado seja ocasionado pelo lento processo de seleção, em outras palavras, por tentativa e erro, a alta inteligência do homem o capacita a escolher seu comportamento. Essa incalculável vantagem pode facilmente suplantar sua desvantagem da propagação lenta e comparativamente escassa, que é reduzida ainda mais pelo cuidado biologicamente perigoso de não deixar que nossa descendência exceda o volume para o qual a subsistência possa ser assegurada.

O segundo ponto, referente à questão de se ainda devemos esperar um desenvolvimento biológico no homem, está intimamente conectado ao primeiro. De certa forma, obtemos a resposta inteira, ou seja, isso dependerá de nós e de nossas ações. Não devemos aguardar que as coisas aconteçam, acreditando que elas são decididas pelo destino irrescindível. Se quisermos algo, deveremos fazer algo a respeito. Se não, não. Da mesma forma que o desenvolvimento político e social e a sequência de eventos históricos em geral não são lançados sobre nós pelo fiar das Parcas, mas dependem em grande parte de nossa ação, também nosso futuro biológico, que nada mais é que história em grande escala, não deve ser considerado um destino inalterável que é decidido de antemão por qualquer Lei da Natureza. De qualquer forma, para nós, que somos os sujeitos que atuam na peça, não é, mesmo que para um ser superior, que nos observe como observamos os pássaros e as formigas, pudesse parecer que sim. O motivo pelo qual o homem tende a ver a história, no sentido mais estrito e mais amplo, como um acontecimento predestinado, controlado por regras e leis que ele não pode mudar, é bem óbvio. É porque todo indivíduo isolado sente que, por si só, tem muito pouco a dizer sobre a questão, a menos que possa expressar suas opiniões para muitos outros e persuadi-los a regular seu comportamento de acordo com elas.

No tocante ao comportamento concreto necessário para assegurar nosso futuro biológico, só mencionarei um único ponto genérico que considero de importância básica. Acredito que, no momento, estamos em grande perigo de perder o "caminho da perfeição". De tudo o que foi dito, a seleção é um requisito indispensável para o desenvolvimento biológico. Se for inteiramente descartada, o desenvolvimento será interrompido, pior ainda, poderá ser revertido. Recorrendo às palavras de Julian Huxley: "a preponderância da mutação degenerativa (perda) resultará na degeneração de um órgão quando ele se tornar inútil, e a seleção, em conformidade com isso, não mais estará agindo sobre ele para manter sua adequação".

Acredito que a crescente mecanização e "estupidificação" da maioria dos processos de manufatura envolvem o grave perigo de uma degeneração geral de nosso órgão da inteligência. Quanto mais as oportunidades de vida do trabalhador inteligente e do apático se equipararem pela repressão das habilidades manuais e disseminação do trabalho maçante e enfadonho na linha de montagem, mais um bom cérebro, mãos habilidosas e um olho aguçado se tornarão supérfluos. De fato, o homem sem inteligência, que naturalmente acha mais fácil se submeter à labuta enfadonha, será favorecido; é provável que ele ache mais fácil prosperar, estabelecer-se e gerar a descendência. O resultado poderá facilmente elevar-se até a uma seleção negativa no tocante aos talentos e dons.

As agruras da vida industrial moderna levaram ao planejamento de determinadas instituições para mitigá-las, como a proteção dos trabalhadores contra a exploração e o desemprego, e muitas outras medidas de bem-estar e segurança. São devidamente consideradas benéficas e tornaram-se indispensáveis. Ainda assim, não podemos fechar nossos olhos para o fato de que, ao aliviar a responsabilidade do indivíduo cuidar de si próprio e ao nivelar as oportunidades de todo homem, também tendem a descartar a competição de talentos e, consequentemente, a colocar um eficiente freio na evolução biológica. Percebo que esse ponto em particular é altamente controverso. É possível defender fortemente a posição de que o cuidado para com o nosso presente bem-estar deveria se sobrepor às preocupações com o nosso futuro evolutivo. Mas felizmente, acredito eu, eles caminham juntos, de acordo com meu argumento principal. Ao lado da necessidade, o tédio tornou-se o pior flagelo de nossas vidas. Em lugar de permitir que a engenhosa maquinaria que inventamos produza uma quantidade crescente de luxo supérfluo, precisamos planejar seu desenvolvimento no sentido de aliviar os seres humanos de todo manuseio não inteligente, mecânico, "maquinal". A máquina deve assumir a labuta para a qual o homem é bom demais, não o homem assumir o trabalho para o qual a máquina seja demasiado dispendiosa, como costuma acontecer com grande frequência. Isso não tenderá a tornar

130 ERWIN SCHRÖDINGER

a produção mais barata, mas mais felizes aqueles engajados nela. Há uma pequena esperança em realizar isso desde que prevaleça a competição entre grandes firmas e empresas em todo o mundo. Mas esse tipo de competição é tão desinteressante quanto biologicamente inútil. Nossa meta deveria ser reafirmar em seu lugar a competição interessante e inteligente de seres humanos individuais.

3

O PRINCÍPIO DA OBJETIVAÇÃO

Há nove anos, propus dois princípios gerais que formam a base do método científico, o princípio da compreensibilidade da natureza e o princípio da objetivação. Desde então, voltei a esse tema vez por outra, a última vez em meu pequeno livro *Nature and the Greeks*.[1] Desejo abordar aqui em detalhe o segundo, a objetivação. Antes de dizer o que entendo por isso, gostaria de afastar um possível mal-entendido, embora ache que o evitei desde o nascedouro. É simplesmente isto: algumas pessoas pareceram achar que minha intenção era estabelecer os princípios fundamentais que deveriam estar na base do método científico ou pelo menos que estivessem justa e legitimamente na base da ciência e que deveriam ser mantidos a todo o custo. Longe disso, só defendi e defendo que estão – e, aliás, como herança dos antigos gregos, de quem derivaram toda a nossa ciência e o pensamento científico ocidental.

O mal-entendido não surpreende muito. Quando se ouve um cientista pronunciar os princípios básicos da ciência, enfatizando dois deles como particularmente fundamentais e há muito estabelecidos, é natural pensar que ele é no mínimo fortemente favorável a eles e deseja impô-los. Mas, por outro lado, vejam os senhores, a ciência nunca impõe nada, a ciência *afirma*. A ciência objetiva nada mais que criar

---

1 Cambridge University Press, 1954.

132 ERWIN SCHRÖDINGER

afirmações verdadeiras e adequadas sobre seu objeto. O cientista impõe somente duas coisas, a saber, verdade e sinceridade; ele as impõe sobre si mesmo e sobre outros cientistas. No presente caso, o objeto é a própria ciência, como ela se desenvolveu, se transformou e é no presente, não como *deveria* ser ou *deveria* se desenvolver no futuro.

Voltemos agora a esses dois princípios. Quanto ao primeiro, "que a natureza pode ser compreendida", direi aqui apenas algumas palavras. O mais surpreendente em relação a ele é que teve de ser inventado, que foi inteiramente necessário inventá-lo. Ele vem da Escola Milésia, dos *physiologoi*. Desde então, manteve-se intocado, embora talvez nem sempre incontaminado. A presente linha da física é possivelmente uma contaminação bem grave. O princípio da incerteza, a alegada ausência de conexão causal estrita na natureza, pode representar um passo para longe dele, um abandono parcial. Seria interessante discutir isso, mas decidi que discutiria aqui o outro princípio, que chamei de objetivação.

Por objetivação, estou me referindo àquilo que também é frequentemente chamado de a "hipótese do mundo real" ao nosso redor. Defendo que equivale a uma certa simplificação que adotamos para dominar o problema infinitamente intricado da natureza. Sem estar ciente dele e sem ser rigorosamente sistemático com ele, excluímos o Sujeito Cognoscente do domínio da natureza que nos esforçamos por entender. Retrocedemos para o papel de um espectador que não pertence ao mundo, o qual, por esse mesmo procedimento, torna-se um mundo objetivo. Esse dispositivo é revelado pelas duas circunstâncias seguintes. Em primeiro lugar, meu próprio corpo (ao qual minha atividade mental está tão direta e intimamente vinculada) forma parte do objeto (o mundo real em torno de mim) que construo a partir de minhas sensações, percepções e memórias. Em segundo, os corpos de outras pessoas formam parte desse mundo objetivo. Bem, tenho ótimos motivos para acreditar que esses outros corpos também estão vinculados ou são, por assim dizer, os assentos das esferas da consciência. Não tenho nenhuma dúvida razoável sobre a existência ou alguma espécie de realidade dessas outras esferas de consciência; não obstante, não tenho qualquer acesso subjetivo direto a qualquer delas. Portanto, estou inclinado a tomá-las como algo objetivo, como parte constitutiva do mundo real ao meu redor. Além disso, por não haver nenhuma distinção entre eu mesmo e os outros, mas, pelo contrário, uma simetria plena para todas as finalidades e propósitos, concluo que eu mesmo faço parte desse mundo material real ao meu redor. Coloco, por assim dizer, meu próprio eu sensível (que havia construído esse mundo como um produto

MENTE E MATÉRIA 133

mental) de volta nele – com o pandemônio de consequências lógicas desastrosas que fluem da cadeia supracitada de conclusões errôneas.

Iremos abordá-las uma a uma; por ora, gostaria apenas de mencionar as duas antinomias mais conspícuas, devidas à nossa percepção do fato de que um quadro moderadamente satisfatório do mundo só foi alcançado pelo elevado preço de nos retirarmos a nós mesmos do quadro, decaindo para o papel de um observador desinteressado. A primeira dessas antinomias é a surpresa de descobrir nosso quadro do mundo "incolor, frio, mudo". Cor e som, calor e frio são nossas sensações imediatas; não surpreende muito que estejam ausentes de um modelo de mundo do qual removemos nossa própria pessoa mental.

A segunda é nossa busca infrutífera do local onde nossa mente atua sobre a matéria ou vice-versa, busca tão conhecida da honesta exploração de sir Charles Sherrington, exposta de maneira magnífica em *Man on his Nature*: o mundo material só foi construído ao preço de retirar dele o eu, isto é, a mente; a mente não faz parte dele; obviamente, portanto, não pode atuar sobre ele nem sofrer a ação de nenhuma de suas partes. (Isto foi enunciado por Espinosa numa sentença sucinta e clara, ver p.135-6.)

Desejo entrar em mais detalhes sobre alguns dos pontos que considerei importantes. Em primeiro lugar, gostaria de citar uma passagem do artigo de C. G. Jung que me gratificou, pois ressalta o mesmo ponto num contexto bem diferente, embora de uma maneira fortemente ultrajante. Embora eu continue a considerar a remoção do Sujeito Cognoscente do quadro do mundo objetivo o alto preço pago por uma imagem razoavelmente satisfatória, Jung dá um passo adiante e acusa-nos por pagarmos esse resgate que nos liberta de uma situação inextricavelmente difícil. Diz ele:

Toda a ciência (*Wissenschaft*), contudo, é uma função da alma, na qual todo o conhecimento está enraizado. A alma é o maior de todos os milagres cósmicos, é a *conditio sine qua non* do mundo como objeto. É extraordinariamente surpreendente que o mundo ocidental (com raríssimas exceções) pareça ter tão pequena percepção de que assim o seja. A torrente de objetos externos de conhecimento fez que o sujeito de todo o conhecimento se retirasse para o segundo plano, muitas vezes para uma aparente inexistência.[2]

---

2 *Eranos Jahrbuch*, 1946, p.398.

134 ERWIN SCHRÖDINGER

É claro que Jung está inteiramente certo. É também claro que ele, estando engajado na ciência da psicologia, seja muito mais sensível ao gambito inicial em questão, mais ainda que um físico ou fisiologista. Entretanto, eu diria que uma rápida retirada da posição mantida por mais de dois mil anos é perigosa. Poderemos perder tudo sem ganhar mais que uma certa liberdade em um domínio especial – embora muito importante. Mas aqui o problema se define. A ciência relativamente nova da psicologia exige imperativamente o espaço vivo, torna inevitável reconsiderar o gambito inicial. É uma tarefa difícil e não devemos resolvê-la aqui e agora. Devemos ficar contentes de tê-la ressaltado.

Embora tenhamos encontrado aqui o psicólogo Jung queixando-se da exclusão da mente, da negligência da alma, como ele a denomina, em nossa imagem do mundo, gostaria agora de aduzir, por contraste – ou talvez mais como suplemento –, algumas citações de representantes eminentes das ciências mais antigas e mais humildes da física e da fisiologia, apenas enunciando o fato de que "o mundo da ciência" tornou-se tão horrivelmente objetivo que não deixou espaço para a mente e suas sensações imediatas.

Alguns leitores poderão lembrar-se das "duas escrivaninhas" de A. S. Eddington; a primeira é uma antiga peça familiar da mobília à qual ele está sentado, repousando seus braços, a outra é o corpo físico científico que não somente carece de todas as qualidades sensoriais, mas, adicionalmente, está crivada de buracos; de longe, a maior parte dela é o espaço vazio, simplesmente o nada, disperso entre as diminutas e inumeráveis manchas de alguma coisa, os elétrons e os núcleos girando, mas sempre separados por distâncias de pelo menos 100.000 vezes seu próprio tamanho. Depois de ter contrastado as duas em seu estilo plástico maravilhoso, ele então resume:

> No mundo da física, examinamos o espetáculo do teatro de sombras da vida familiar. A sombra de meu cotovelo repousa sobre a mesa-sombra, assim como a tinta-sombra flui sobre o papel-sombra ... A franca percepção de que a ciência física relaciona-se com um mundo de sombras é um dos avanços recentes mais significativos.[3]

Notem que o próprio avanço recente não assenta no fato de o mundo da física ter adquirido esse caráter sombrio; ele o tinha desde

---

3 *The Nature of the Physical World*, Cambridge University Press, 1928, "Introduction".

MENTE E MATÉRIA 135

Demócrito de Abdera e mesmo antes, mas não estávamos cientes disso; achávamos que estávamos lidando com o próprio mundo; expressões como modelo ou quadro para os construtos conceituais de ciência vieram na segunda metade do século XIX, e não antes, até onde eu saiba.

Não muito depois, sir Charles Sherrington publicou seu monumental *Man on his Nature*.[4] O livro é permeado pela busca honesta de evidência objetiva da interação entre matéria e mente. Enfatizo o epíteto "honesta" pois é realmente necessário um empenho muito sério e sincero para procurar por algo quando se está profundamente convencido de antemão que ele não pode ser encontrado, porque (em oposição à crença popular) não existe. Um breve resumo do resultado dessa pesquisa encontra-se à página 357:

> O espírito, tanto quanto a percepção pode apreender, move-se portanto em nosso mundo espacial de maneira mais fantasmagórica que um fantasma. Invisível, intangível, é algo sem nem mesmo um contorno; não é uma "coisa". Permanece sem confirmação sensorial e permanece sem ela eternamente.

Em minhas próprias palavras, expressaria da seguinte maneira: o espírito erigiu o mundo externo objetivo do filósofo natural para fora de sua própria substância. A mente não poderia dar conta dessa tarefa gigantesca de outra forma senão pelo estratagema simplificador de se excluir – retirando-se de sua criação conceitual. Logo, a última não contém seu criador.

Não sou capaz de expressar a grandeza do livro imortal de Sherrington pela citação de sentenças; é necessário lê-lo. Ainda assim, menciono algumas das mais particularmente características.

> A ciência física... confronta-nos com o impasse de que a mente *per se* não pode tocar o piano – a mente *per se* não pode mover um dedo da mão (p.222).
>
> Então chega-nos o impasse. O vazio do "como" da alavanca da mente sobre a matéria. A inconsequência nos desconcerta. Será um mal-entendido? (p.232).

Comparemos essas conclusões tiradas por um fisiologista experimental do século XX com a simples afirmação do maior filósofo do século XVII: B. Espinosa (*Ética*, Pt. III, Prop. 2):

---

4 Cambridge University Press, 1940.

136 ERWIN SCHRÖDINGER

Nec corpus mentem ad cogitandum, nec mens corpus ad motum, neque ad quietem, nec ad aliquidi (si quid est) aliud determinare potest. [Nem pode o corpo determinar que a mente pense, nem a mente pode determinar que o corpo mova ou repouse ou qualquer outra coisa (se tal houver).]

O impasse *é* um impasse. Não seríamos nós, portanto, os agentes de nossos feitos? Não obstante, sentimo-nos responsáveis por eles, somos punidos ou elogiados por eles, conforme o caso. É uma antinomia horrível. Defendo que não pode ser solucionada no nível da ciência de hoje, que ainda está inteiramente mergulhada no "princípio da exclusão" – sem sabê-lo – daí a antinomia. Perceber isso é importante, mas não resolve o problema. Não se pode remover o "princípio da exclusão" por uma lei do Parlamento, por assim dizer. A atitude científica teria de ser reconstruída, seria necessário criar uma nova ciência. É necessário cuidado.

Assim, somos confrontados com a incrível situação a seguir. Embora a substância de que nosso quadro do mundo é construído seja produzida exclusivamente a partir dos órgãos do sentido como órgãos da mente, de tal forma que o quadro do mundo de todo homem seja e sempre permaneça um construto de sua mente e não se possa comprovar que tenha qualquer outra existência, ainda assim a própria mente consciente permanece uma estranha dentro desse construto, não tem espaço vivo dentro dele, não é possível identificá-la em nenhum lugar no espaço. Normalmente, não percebemos tal fato, pois nos entregamos inteiramente ao pensamento de que a personalidade de um ser humano ou, nesse aspecto, também de um animal, esteja localizada no interior de seu corpo. Aprender que ela não pode ser realmente encontrada lá é tão atordoante que suscita dúvida e hesitação, sendo admitido só com grande relutância. Nós nos acostumamos a localizar a personalidade consciente dentro da cabeça de uma pessoa – eu diria uma ou duas polegadas atrás do ponto médio entre os olhos. Dali, ela nos dá, conforme o caso, compreensão, amor ou ternura – ou olhares suspeitos ou raivosos. Eu me pergunto se alguém alguma vez reparou que o olho é o único órgão dos sentidos cujo caráter puramente receptivo não conseguimos reconhecer no pensamento ingênuo. Invertendo o atual estado de coisas, somos bem mais inclinados a pensar em "raios de visão", emitidos a partir do olho, em vez dos "raios de luz" vindos de fora e que atingem os olhos. É frequente encontrarmos tal "raio de visão" representado num desenho, num texto cômico, ou mesmo em alguns esboços esquemáticos mais antigos cuja finalidade era ilustrar um instrumento ou lei óptica, um linha pontilhada emergindo do olho e apontando para o objeto, com a direção sendo indicada por uma seta na extremidade. – Caro leitor, ou melhor ainda, cara leitora, lembre-se dos olhares brilhantes e felizes que seu filho lança em sua direção quando a senhora lhe traz um novo brinquedo e então deixe que o físico lhe diga que, na realidade, nada emerge desses olhos; na realidade, sua única função detectável objetivamente é ser continuamente atingido e receber continuamente *quanta* de luz. Na realidade! Que estranha realidade! Parece estar faltando alguma coisa aí.

É muito difícil fazermos uma apreciação do fato de a localização da personalidade, da mente consciente, dentro do corpo, ser somente simbólica, simplesmente um auxílio de uso prático. Vamos, com todo o conhecimento que temos sobre isso, seguir tal "olhar terno" dentro do corpo. De fato, damos de frente com uma azáfama, ou se preferir, uma maquinaria supremamente interessante. Encontramos milhões de células de construção bem especializada num arranjo que é inescrutavelmente intricado, mas que obviamente serve a uma comunicação e colaboração mútua de enorme alcance e de elevada qualidade; um martelar incessante de pulsos eletroquímicos regulares que, contudo, mudam rapidamente de configuração, sendo conduzidos de célula nervosa a célula nervosa, dezenas de milhares de contatos sendo abertos e bloqueados em cada fração de segundo, transformações químicas sendo induzidas e talvez outras mudanças ainda não descobertas. Encontramos tudo isso e, com o avanço da ciência da fisiologia, podemos acreditar que deveremos vir a saber mais e mais sobre o assunto. Mas, agora, tomemos por hipótese que, num caso particular, acabemos por observar vários feixes eferentes de correntes pulsantes, que são emitidos do cérebro e atravessam as longas protrusões celulares (fibras nervosas motoras), que são conduzidos até determinados músculos do braço que, como consequência, move uma mão trêmula, hesitante, num gesto de despedida – uma demorada separação de partir o coração; ao mesmo tempo, poderemos descobrir que alguns outros feixes pulsantes produzem uma certa secreção glandular com o propósito de cobrir o pobre olho triste com um véu de lágrimas. Mas em nenhum lugar ao longo desse caminho desde o olho, passando pelo órgão central e até os músculos do braço e as glândulas lacrimais – em nenhum lugar, os senhores podem ter certeza, por maiores que sejamos avanços da fisiologia, encontraremos algum dia a personalidade, encontraremos a terrível dor, a confusa preocupação dentro

138 ERWIN SCHRÖDINGER

dessa alma, embora sua realidade nos seja tão certa como se nós mesmos a tivéssemos sofrido – como de fato sofremos! A imagem que a análise fisiológica nos concede de qualquer outro ser humano, mesmo que seja o nosso amigo mais íntimo, surpreendentemente me faz lembrar o conto magistral de Edgar Allan Poe, "A máscara da morte rubra". Um principezinho e seu séquito se retiraram para um castelo isolado, para escapar da pestilência da morte rubra que assola o país. Depois de cerca de uma semana de isolamento, organizam um grande banquete dançante com fantasias e máscaras. Uma das máscaras, alta, cobrindo tudo, toda em vermelho e evidentemente com o propósito de representar alegoricamente a peste, provoca um estremecimento em todos, tanto pela insensatez da escolha como pela suspeita de que poderia ser um intruso. Finalmente, um ousado jovem se aproxima da máscara rubra e com um gesto súbito arranca o véu e o adorno de cabeça. Está vazia.

Nossos crânios não estão vazios. Mas o que lá encontramos, a despeito do ardente interesse que provoca, não é verdadeiramente nada quando comparado à vida e às emoções da alma.

Tornar-se ciente disso pode, num primeiro momento, ser desconcertante. A mim parece, num pensamento mais profundo, sem dúvida um consolo. Se tivermos de enfrentar o corpo de um amigo morto, cuja ausência nos é dolorosa, não é reconfortante perceber que esse corpo nunca foi realmente o sustentáculo de sua personalidade, mas somente o assento simbólico, "para referência prática"?

Como apêndice a essas considerações, aqueles com um forte interesse nas ciências físicas poderão desejar que eu me pronuncie sobre uma linha de ideias, referente a sujeito e objeto, que recebeu grande destaque pela escola predominante de pensamento na física quântica, cujos protagonistas são Niels Bohr, Werner Heisenberg, Max Born e outros. Permitam-me oferecer-lhes uma descrição bem sucinta de suas ideias. É mais ou menos o seguinte:[5] Não podemos fazer nenhuma afirmação factual sobre um dado objeto natural (ou sistema físico) sem "entrar em contato" com ele. Esse "contato" é uma verdadeira interação física. Mesmo que consista somente em nosso "olhar o objeto", este último deverá ser atingido por raios luminosos e refleti-los dentro do olho, ou em algum instrumento de observação. Não se pode obter qualquer conhecimento sobre um objeto e, ao mesmo tempo, deixá-lo

---

5 Veja o meu *Science and Humanism*, Cambridge University Press, 1951, p.49.

MENTE E MATÉRIA 139

estritamente isolado. A teoria prossegue sustentando que essa perturbação não é irrelevante nem completamente perscrutável. Assim, depois de certo número de observações trabalhosas, o objeto é deixado num estado do qual algumas características (as últimas observadas) são conhecidas, mas outras (aquelas que sofreram a interferência da última observação) não são conhecidas, ou não conhecidas com precisão. Esse estado de coisas é oferecido como uma explicação de por que nunca é possível nenhuma descrição completa e sem lacunas de qualquer objeto físico.

Se isso tiver de ser dado como certo – e possivelmente tem – então desafia abertamente o princípio da compreensibilidade da natureza. Tal coisa não é, por si só, um opróbrio. Eu lhes disse no início que meus dois princípios não têm como objetivo estar sujeitos à ciência, que só expressam aquilo que realmente mantivemos na ciência física durante muitos e muitos séculos e que não é fácil de ser mudado. Pessoalmente, não tenho certeza de que nosso conhecimento presente justifique a mudança. Considero possível que nossos modelos possam ser modificados de tal maneira que não exibam em nenhum momento propriedades que não possam ser, em princípio, observadas simultaneamente – modelos mais pobres nas propriedades simultâneas, mas mais ricos na adaptabilidade a mudanças no ambiente. Contudo, essa é uma questão interna da física, não para ser decidida aqui e agora. Mas a partir da teoria como explicada antes, a partir da interferência inevitável e inescrutável dos dispositivos de medição sobre o objeto sob observação, as consequências sublimes de uma natureza epistemológica foram puxadas e trazidas para o primeiro plano, no tocante à relação entre sujeito e objeto. Afirma-se que as recentes descobertas na física avançaram até a misteriosa fronteira entre o sujeito e o objeto. Essa fronteira, assim nos dizem, não é uma fronteira nítida de fato. Somos levados a entender que nunca observamos um objeto sem que ele seja modificado ou tingido por nossa própria atividade ao observá-lo. Somos levados a entender que, sob o impacto de nossos refinados métodos de observação e de pensamento sobre os resultados de nossos experimentos, aquela misteriosa fronteira entre sujeito e objeto foi derrubada.

Para criticar essas contendas, permitam que eu aceite inicialmente a distinção ou discriminação entre objeto e sujeito consagrada pelo tempo, que muitos pensadores dos tempos antigos aceitaram e que nos tempos recentes ainda a aceitam. Entre os filósofos que a aceitaram – desde Demócrito de Abdera até o "Velho Homem de Königsberg" – houve poucos, se tanto, que não enfatizaram que todas as nossas sensações, percepções e observações têm um forte matiz pessoal, subjetivo, e que não transmitem a natureza da "coisa em si", para usar o termo de Kant. Embora alguns desses pensadores possam ter em mente somente uma distorção mais ou menos forte ou discreta, Kant nos incutiu uma completa resignação: nunca saber nada de fato sobre a "coisa em si". Assim, a ideia de subjetividade, ao que tudo indica, é bem antiga e familiar. O que é novo no cenário atual é o seguinte: que não somente as impressões que obtemos de nosso ambiente dependeriam em grande parte da natureza e do estado contingente de nosso sensório, mas, inversamente, o próprio ambiente que desejamos apreender é modificado por nós, notavelmente pelos dispositivos que estabelecemos para observá-lo.

Talvez isso seja assim – e, até certo ponto, certamente é. Pode ser que, a partir das leis recém-descobertas da física quântica, essa modificação não possa ser reduzida abaixo de certos limites bem averiguados. Ainda assim, gostaria de não denominá-la uma influência direta do sujeito sobre o objeto, pois o sujeito, se tanto, é a coisa que sente e pensa. As sensações e pensamentos não pertencem ao "mundo de energia", não podem produzir nenhuma alteração neste mundo de energia tal como conhecemos a partir de Espinosa e de sir Charles Sherrington.

Tudo isso foi dito do ponto de vista de que aceitamos a discriminação consagrada pelo tempo entre sujeito e objeto. Embora tenhamos de aceitá-la na vida cotidiana "para referência prática", devemos, acredito eu, abandoná-la no pensamento filosófico. Sua rígida consequência lógica foi revelada por Kant: a ideia sublime, conquanto vazia, da "coisa em si" sobre a qual nunca saberemos nada.

São os mesmos elementos que vão compor minha mente e o mundo. Tal situação é igual para toda mente e seu mundo, a despeito da insondável abundância das "referências cruzadas" entre eles. O mundo me é dado somente uma vez, não uma vez como existente e outra vez como percebido. Sujeito e objeto são apenas um. Não se pode dizer que a barreira entre eles foi derrubada como resultado da experiência recente nas ciências físicas, pois essa barreira não existe.

4

O PARADOXO ARITMÉTICO:
A UNICIDADE DA MENTE

O motivo pelo qual nosso ego sensível, perceptivo e pensante não se encontra em nenhum lugar dentro de nossa imagem científica do mundo pode ser facilmente exposto em oito palavras: porque ele próprio é essa imagem do mundo. É idêntico ao todo e portanto não pode estar contido nele como sua parte. Mas, é claro, aqui colidimos com o paradoxo aritmético; parece haver uma grande profusão desses egos conscientes e o mundo, contudo, é apenas um. Isso resulta da maneira pela qual o conceito de mundo se produz a si mesmo. Os vários domínios das consciências "privadas" são parcialmente coincidentes. A região comum a todos, onde todos eles são coincidentes, é a construção do "mundo real ao nosso redor". Com tudo isso, resta um sentimento desconfortável, incitando perguntas como: será que o meu mundo é realmente igual ao seu? Existiria *um único* mundo real a ser distinguido de suas imagens introjetadas pelo modo de percepção dentro de cada um de nós? Em caso afirmativo, seriam essas imagens semelhantes ao mundo real ou seria este último, o mundo "em si", talvez bem diferente daquele que percebemos? Tais perguntas são engenhosas, mas em minha opinião muito propensas a confundir a questão. Não têm respostas adequadas. Todas são, ou levam a antinomias que jorram de uma única fonte, que denominei paradoxo aritmético; os *muitos* egos conscientes de cujas experiências mentais é elaborado o *único* mundo. A solução desse paradoxo

142 ERWIN SCHRÖDINGER

de números aboliria todas as perguntas do tipo supracitado e as revelaria, ouso dizer, como perguntas enganosas.

Existem duas saídas do paradoxo numérico, ambas parecendo um tanto lunáticas do ponto de vista do atual pensamento científico (baseado no pensamento grego antigo e, portanto, inteiramente "ocidental"). Uma saída é a multiplicação do mundo na temível doutrina das mônadas de Leibniz: toda mônada consiste em um mundo por si mesma, sem comunicação entre si; a mônada "não tem janelas", é "incomunicável". Isso de, não obstante, todas concordarem entre si, é denominado "harmonia preestabelecida". Acho que existem poucos que são atraídos por essa sugestão, ou melhor, que a considerariam uma atenuação real da antinomia numérica.

Existe, obviamente, uma única alternativa, a saber, a unificação de mentes ou consciências. Sua multiplicidade é somente aparente; em verdade, existe uma única mente somente. Essa é a doutrina dos Upanixades. E não só deles. A união experimentada misticamente com Deus normalmente acarreta essa atitude, a menos que seja contraposta por fortes preconceitos existentes; e isso significa que é menos facilmente aceita no Ocidente que no Oriente. Gostaria de citar como exemplo, fora do âmbito dos Upanixades, um místico persa islâmico do século XIII, Aziz Nasafi. Estou citando-o de um artigo de Fritz Meyer[1] e traduzindo para o inglês a sua tradução alemã:

> Quando da morte de qualquer criatura viva, o espírito retorna ao mundo espiritual, o corpo ao mundo corpóreo. Nisso, contudo, somente os corpos estão sujeitos a mudar. O mundo espiritual é um espírito único que se mantém como uma luz por trás do mundo corpóreo e que, quando do qualquer criatura individual ganha existência, brilha através dele como através de uma janela. De acordo com o tipo e tamanho da janela, menos ou mais luz entra no mundo. A luz em si, contudo, permanece inalterada.

Há dez anos, Aldous Huxley publicou um precioso volume que chamou *The Perennial Philosophy*[2] e que é uma antologia dos místicos dos mais variados períodos e dos mais variados povos. Abram-no onde desejarem e encontrarão diversas belas expressões de tipo semelhante. Os senhores ficarão impressionados com a miraculosa concordância entre seres humanos de diferentes raças, diferentes religiões, nada

---

1 *Eranos Jahrbuch*, 1946.
2 Chatto and Windus, 1946.

sabendo um sobre a existência do outro, separados por séculos e milênios e pelas maiores distâncias existentes em nosso globo.

Ainda assim, é necessário dizer que, para o pensamento ocidental, tal doutrina tem pouco apelo, não é palatável, é tachada de fantástica, não científica. Bem, assim o é porque nossa ciência – a ciência grega – está baseada na objetivação e, assim sendo, eliminou qualquer compreensão adequada do Sujeito Cognoscente, da mente. Mas acredito realmente que é esse precisamente o ponto em que o nosso presente modelo de pensamento realmente precisa ser retificado, talvez por um pouco de transfusão de sangue obtido do pensamento oriental. Isso não será fácil, devemos estar cientes dos erros tolos – uma transfusão de sangue sempre exige grande cuidado para prevenir coagulação. Não desejamos perder a precisão lógica que nosso pensamento científico alcançou e que não tem paralelos em nenhum lugar, em nenhuma época.

Ainda assim, existe uma coisa que pode ser dita em favor do ensinamento místico da "identidade" de todas as mentes entre si e com a mente suprema – como contra a temível monadologia de Leibniz. A doutrina da identidade pode afirmar que está firmemente amparada pelo fato empírico de que a consciência nunca é experimentada no plural, somente no singular. Não somente nenhum de nós jamais experimentou mais de uma consciência, como também não existe nenhum traço de evidência circunstancial de que isso tenha alguma vez acontecido em qualquer lugar do mundo. Se digo que não pode haver mais de uma consciência na mesma mente, isto parece uma tola tautologia – somos totalmente incapazes de imaginar o contrário.

Contudo, existem casos ou situações em que esperaríamos o contrário e praticamente exigiríamos que essa coisa inimaginável acontecesse, se de fato puder acontecer. Esse é o ponto que gostaria de discutir em maior detalhe e firmá-lo com citações de sir Charles Sherrington, que foi ao mesmo tempo (evento raro!) um homem da mais elevada genialidade e um cientista soberbo. Até onde sei, ele não tinha nenhum preconceito para com a filosofia dos Upanixades. Meu propósito nesta discussão é contribuir talvez para desobstruir o caminho para uma futura assimilação da doutrina da identidade pela nossa própria visão do mundo científico, sem ter de, por isso, pagar com uma perda de sobriedade e precisão lógica.

Acabei de dizer que não somos sequer capazes de imaginar uma pluralidade de consciências numa única mente. Podemos, sem dúvida, pronunciar essas palavras, mas elas não são a descrição de nenhuma experiência pensável. Mesmo nos casos patológicos de uma

144 ERWIN SCHRÖDINGER

"personalidade dividida", as duas pessoas se alternam, nunca controlam o campo conjuntamente; mais ainda, é tão somente uma particularidade característica que não saibam nada uma da outra. Quando, no espetáculo de marionetes do sonho, seguramos na mão os fios de vários atores, controlando suas ações e suas falas, não estamos cientes de que é isso que acontece. Somente um deles sou eu mesmo, o sonhador. Em sua pele, ajo e falo imediatamente, por mais que eu possa estar esperando ansiosa e impacientemente o que o outro irá responder, se vai atender ao meu pedido urgente. Que eu possa realmente fazer que ele faça ou diga o que quer que me agrade é algo que não me ocorre – de fato, não é bem esse o caso, pois num sonho desse tipo o "outro" é, ouso dizer, principalmente uma personificação de algum importante obstáculo que se opõe a mim na vida desperta e sobre o qual realmente não tenho nenhum controle. O estranho estado de coisas aqui descrito é obviamente o motivo pelo qual a maioria das pessoas dos tempos antigos acreditava firmemente ter estado verdadeiramente em comunicação com pessoas vivas ou mortas ou, talvez, deuses ou heróis, com os quais se encontraram em seus sonhos. É uma superstição difícil de morrer. Às vésperas do século VI a. C., Heráclito de Éfeso pronunciou-se categoricamente contra ela, com uma clareza raramente encontrada em seus fragmentos às vezes muito confusos. Mas Lucrécio Caro, que acreditava ser protagonista de um pensamento iluminado, ainda se agarra a essa superstição, no século I a. C. Hoje, é provavelmente rara, mas duvido que esteja inteiramente extinta.

Gostaria agora de abordar algo bem diferente. Acho totalmente impossível formar uma ideia sobre como, por exemplo, minha própria mente consciente (que sinto ser *uma*) deve ter se originado pela integração das consciências das células (ou de algumas delas) que formam meu corpo, ou sobre como é que, em cada momento de minha vida, ela deveria ser, por assim dizer, sua resultante. Poder-se--ia imaginar que tal "comunidade" ou "estado de células" (*Zellstaat*) não seja mais, hoje em dia, considerada uma metáfora. Ouçamos o que diz Sherrington:

> Declarar que, das células componentes que nos formam, cada uma é uma vida individual autocentrada, não é uma mera expressão. Não é uma mera conveniência para fins descritivos. A célula como componente do corpo não é somente uma unidade visivelmente demarcada, mas uma unidade de vida centrada em si mesma. Dirige sua própria vida ... A célula

é uma unidade de vida e nossa vida, que por sua vez, é uma vida unitária, consiste totalmente de vidas celulares.[3]

Mas essa história pode ser investigada em maior detalhe e de maneira mais concreta. Tanto a patologia do cérebro como as investigações fisiológicas sobre a percepção dos sentidos falam manifestamente a favor de uma separação regional do sensório em domínios cuja forte independência é impressionante, pois nos faria esperar encontrar essas regiões associadas a domínios independentes da mente; mas elas não o são. Um exemplo particularmente característico é o descrito a seguir. Se olharmos para uma paisagem distante, inicialmente da maneira normal, com os dois olhos abertos, depois somente com o olho direito, fechando o esquerdo e, depois, fazendo o inverso, não perceberemos nenhuma diferença notável. O espaço visual psíquico é idêntico em todos os três casos. O motivo bem poderia ser que, partindo das terminações nervosas correspondentes na retina, o estímulo é transferido para o mesmo centro no cérebro em que "a percepção é fabricada" – exatamente como, por exemplo, em minha casa, a maçaneta da porta de entrada e aquela do quarto de minha esposa ativam a mesma campainha, situada acima da porta da cozinha. Essa seria a explicação mais fácil; mas está errada.

Sherrington nos conta sobre experimentos muito interessantes sobre a frequência limiar da intermitência da luz. Tentarei fazer um relato bem sucinto. Pensem num farol em miniatura construído no laboratório e produzindo um grande número de clarões por segundo, digamos 40, 60, 80 ou 100. À medida que aumentamos a frequência dos clarões, a intermitência desaparece a partir de uma frequência bem definida, dependendo dos detalhes experimentais; e o espectador, que supomos esteja observando com os dois olhos da maneira normal, enxerga uma luz contínua.[4] Digamos que essa frequência limiar seja de 60 vezes por segundo, nas circunstâncias dadas. Agora, num segundo experimento, sem que nada mais seja alterado, um dispositivo adequado permite que apenas o segundo de cada dois clarões atinja o olho direito, que apenas o primeiro de cada dois clarões atinja o olho esquerdo, de tal forma que cada olho receba apenas 30 clarões por segundo. Se os estímulos fossem conduzidos ao mesmo centro

---

3 *Man on his Nature*, 1ª edição, 1940, p.73.
4 É desta maneira que se produz a fusão dos sucessivos quadros no cinema.

146 ERWIN SCHRÖDINGER

fisiológico, isso não deveria fazer nenhuma diferença: se pressiono o botão da minha porta de entrada, digamos a cada dois segundos, e minha esposa fizer o mesmo em seu quarto, mas alternando comigo, a campainha da cozinha soará a cada segundo, exatamente como se um de nós tivesse pressionado seu botão a cada segundo ou que ambos o tivéssemos feito sincronicamente a cada segundo. Contudo, no segundo experimento da intermitência, não é assim. Trinta clarões para o olho direito somados aos 30 clarões que se alternam para o olho esquerdo estão longe de ser suficientes para remover a sensação de intermitência; o dobro da frequência é necessário para tal, ou seja, 60 para o direito e 60 para o esquerdo, se os dois olhos estiverem abertos. Gostaria de lhes fornecer a principal conclusão, nas próprias palavras de Sherrington:

> Não é a conjunção espacial do mecanismo cerebral que combina os dois registros... É mais como se as imagens do olho direito e do esquerdo fossem vistas, cada uma, por um de dois observadores e as mentes dos dois observadores fossem combinadas numa mente única. É como se as percepções do olho direito e do olho esquerdo fossem elaboradas isoladamente e, depois, combinadas psiquicamente em uma só... É como se cada olho tivesse um sensório de considerável dignidade própria, no qual os processos mentais baseados naquele olho fossem desenvolvidos até mesmo nos níveis de percepção total. Isso equivaleria, em termos fisiológicos, a um subcérebro visual. Haveria dois de tais subcérebros, um para o olho direito e outro para o esquerdo. A contemporaneidade de ação, mais que a união estrutural, parece fornecer sua colaboração mental.[5]

Isso é seguido por considerações bem gerais, das quais gostaria novamente de separar apenas as passagens mais características:

> Haveria, portanto, subcérebros quase independentes, baseados nas várias modalidades do sentido? No córtex, os velhos "cinco" sentidos, em lugar de estarem fundidos inextricavelmente um no outro e ainda mais submersos em um mecanismo de ordem superior, ainda precisam ser claramente descobertos e cada qual demarcado em sua esfera separada. Até que ponto seria a mente uma coleção de mentes perceptivas quase independentes, integradas psiquicamente em grande medida pela concorrência temporal da experiência?... Quando se trata de uma questão de "mente", o sistema nervoso não se integra pela centralização sobre uma

---

5 *Man on his Nature*, p.273-5.

célula pontifical. Pelo contrário, elabora uma democracia de milhões, cuja unidade é uma célula... a vida concreta composta de subvidas revela, embora integrada, sua natureza aditiva e se declara um caso de diminutos focos de vida agindo conjuntamente... Quando, contudo, nos voltamos para a mente, nada há disso tudo. A célula nervosa isolada jamais é um cérebro em miniatura. A constituição celular do corpo não precisa, por nenhuma forma, ser originária da "mente"... Uma célula cerebral pontifical única não poderia garantir à reação mental um caráter mais unificado e não atômico do que o fazem as múltiplas camadas de células do córtex. Matéria e energia parecem granulares na estrutura, bem como a "vida"; mas não é assim com a mente.

Citei as passagens que mais me impressionaram. Sherrington, com seu conhecimento superior daquilo que realmente se passa num organismo vivo, aparece-nos, assim, a lutar com um paradoxo que, em sua candura e absoluta sinceridade intelectual, não tenta ocultar nem explicar (como muitos outros teriam feito, ou melhor, fizeram), mas expõe-no de forma quase brutal, sabendo muito bem que esta é a única maneira, quer no campo da ciência quer no campo da filosofia, de aproximar um problema de sua solução, pois envolvê-lo em frases "bonitas" seria impedir o progresso e tornar a antinomia perene (não para sempre, mas até que alguém perceba a fraude). O paradoxo de Sherrington é também de caráter aritmético, um paradoxo de números, e, creio eu, tem muito a ver com aquele a que dei tal nome, no início deste capítulo, embora não seja, de maneira nenhuma, idêntico a ele. O anterior era, em poucas palavras, o *único* mundo cristalizando-se a partir de muitas mentes. O de Sherrington é a *única* mente, baseada ostensivamente em muitas vidas celulares ou, de outra forma, nos inúmeros subcérebros, cada qual parecendo ter tão considerável dignidade própria que nos sentimos impelidos a lhes associar uma submente. Contudo, sabemos que uma submente é uma monstruosidade atroz, exatamente como uma mente plural – nem tendo uma contrapartida na experiência de qualquer um, nem sendo de alguma maneira imaginável.

Sugiro que os dois paradoxos serão resolvidos (não tenciono resolvê-los aqui e agora), por meio da assimilação da doutrina oriental da identidade ao nosso edifício da ciência ocidental. A mente é, por sua própria natureza, um *singulare tantum*. Eu deveria dizer: o número global de mentes é apenas um. Aventuro-me a chamá-lo indestrutível, pois tem um cronograma peculiar, a saber, a mente é sempre *agora*. Não existe realmente um antes e depois para a mente. Há somente um

148 ERWIN SCHRÖDINGER

agora que inclui memórias e expectativas. Mas admito que nossa linguagem não é apropriada para expressá-lo e também admito, caso alguém queira enunciá-lo, que estou agora falando de religião, não de ciência – uma religião, contudo, que não se opõe à ciência, mas é sustentada por aquilo que a pesquisa científica desinteressada trouxe para o primeiro plano.

Sherrington diz: "A mente do homem é um produto recente da superfície do nosso planeta".

Concordo, naturalmente. Se a expressão "do homem" fosse deixada de lado, não concordaria. Falamos sobre isso antes, no capítulo 1. Pareceria estranho, para não dizer ridículo, pensar que a mente consciente, contemplativa, que sozinha reflete o transformar do mundo, devesse ter aparecido apenas a certa altura do curso desse "transformar", que devesse ter aparecido contingentemente, associada a um dispositivo biológico muito especial que, em si mesmo, se exime de maneira bem óbvia da tarefa de facilitar, para certas formas de vida, sua própria manutenção e favorecer portanto sua preservação e propagação: formas de vida que foram as últimas a chegar e foram precedidas por muitas outras que se mantinham sem esse dispositivo particular (um cérebro). Somente uma pequena fração delas (caso contemos por espécies) embarcou na aventura de "conseguir um cérebro". E, antes que isso acontecesse, será que tudo não passou de um espetáculo para plateias vazias? Mais ainda, poderíamos chamar de mundo algo que ninguém contempla? Quando um arqueólogo reconstrói uma cidade ou cultura muito antiga, está interessado na vida humana do passado, nas ações, sensações, pensamentos, sentimentos, na alegria e sofrimento dos seres humanos daquela época. Mas um mundo, existente por muitos milhões de anos sem nenhuma mente ter consciência dele, sem o contemplar, seria de fato alguma coisa? Teria existido? Pois não nos esqueçamos: dizer, como fizemos, que o devir do mundo se reflete numa mente consciente nada mais é que um clichê, uma frase, uma metáfora que se tornou familiar para nós. O mundo é dado uma única vez. Nada é refletido. O original e a imagem especular são idênticos. O mundo que se estende no espaço e no tempo nada mais é que nossa representação (*Vorstellung*). A experiência não nos dá o menor indício de que ele seja algo mais além disso – como Berkeley bem o sabia.

Mas o romance de um mundo que havia existido por muitos milhões de anos antes de produzir, por mera contingência, cérebros, pelos quais olhar a si mesmo tem uma continuação quase trágica, que gostaria de descrever, novamente nas palavras de Sherrington:

MENTE E MATÉRIA 149

O universo da energia, assim nos dizem, está se esgotando. Tende fatalmente para um equilíbrio que deverá ser final. Um equilíbrio em que a vida não pode existir. Contudo, a vida continua evoluindo sem pausa. Dentro de seus limites, nosso planeta a fez e faz evoluir. E com ela, evolui a mente. Se a mente não é um sistema de energia, como irá o esgotamento do universo afetá-la? Poderá ficar incólume? Até onde sabemos, a mente finita está sempre vinculada a um sistema de energia ativo. Quando tal sistema de energia para de funcionar, que é feito da mente que funciona com ele? O universo que elaborou e está elaborando a mente finita permitirá, então, que ela pereça?[6]

Tais considerações são, de certa forma, desconcertantes. O que nos confunde é o curioso papel duplo que a mente consciente adquire. Por um lado, é o palco, e o único palco onde ocorre todo o processo do mundo, ou o recipiente que o contém todo e fora do qual nada existe. Por outro lado, ficamos com a impressão, talvez uma impressão ilusória, de que, dentro da agitação do mundo, a mente consciente esteja vinculada a certos órgãos bem particulares (cérebros), que embora constituam sem dúvida, os dispositivos mais interessantes da fisiologia animal e vegetal, ainda assim não são singulares, não são *sui generis*; pois, como tantos outros, servem, afinal, apenas para manter as vidas de seus possuidores e é somente a isso que devem o fato de terem sido elaborados no processo de especiação por seleção natural.

Algumas vezes, um pintor introduz num grande quadro, ou um poeta num longo poema, um personagem modesto e secundário que é ele próprio. Assim, o poeta da *Odisseia* quis, suponho, representar-se na figura do bardo cego que, no palácio dos feacos, canta as batalhas de Troia e comove o alquebrado herói, levando-o às lágrimas. Da mesma maneira, encontramos na canção dos Nibelungos, quando atravessam as terras austríacas, um poeta que se suspeita seja o autor de todo o épico. No quadro *Todos os Santos* de Dürer, dois círculos de fiéis se reúnem numa oração em torno da Trindade lá em cima nos céus, um círculo dos abençoados, acima, e um círculo de seres humanos na Terra. Entre os últimos estão reis, imperadores e papas, mas também, se não me engano, o retrato do próprio artista, como uma figura lateral humilde que bem poderia estar ausente.

A mim, essa parece ser a melhor analogia do complicado papel duplo da mente. Por um lado, a mente é o artista que produziu o todo; no

---

6 *Man on his Nature*, p.232.

150 ERWIN SCHRÖDINGER

trabalho realizado, contudo, não é senão um reles acessório, que poderia estar ausente, sem que, por isso, o efeito total ficasse diminuído.

Falando sem metáforas, precisamos declarar que aqui deparamos com uma dessas antinomias causadas pelo fato de ainda não termos conseguido elaborar uma concepção claramente compreensível do mundo sem retirar dele nossa própria mente, a criadora da imagem do mundo, de forma que a mente não tem nela um lugar. A tentativa de colocá-la à força nessa imagem, afinal de contas, provoca necessariamente, alguns absurdos.

Comentei antes o fato de que, por esse mesmo motivo, a imagem do mundo físico carece de todas as qualidades sensoriais que concorrem para formar o Sujeito Cognoscente. O modelo é incolor, sem som e impalpável. Da mesma maneira e pelo mesmo motivo, o mundo da ciência carece, ou está privado de tudo o que tem um significado somente em relação ao sujeito que conscientemente contempla, percebe e sente. Refiro-me, em primeiro lugar, aos valores éticos e estéticos, quaisquer valores de qualquer espécie, tudo o que se relacione ao significado e objetivo de todo o espetáculo. Tudo isso não apenas está ausente, mas não pode ser inserido organicamente, do ponto de vista puramente científico. Se tentarmos essa inserção, como uma criança acrescenta cor aos desenhos não coloridos, ela não resulta. Pois qualquer coisa que se faça entrar nesse modelo de mundo, quer se queira quer não, tomará a forma de asserção científica de fatos – e, como tal, passa a estar errada.

A vida vale por si própria. "Seja reverente com a vida", disse Albert Schweitzer, quando idealizou o mandamento fundamental da ética. A natureza não tem nenhuma reverência com a vida. A natureza trata a vida como se fosse a coisa menos valiosa do mundo. Produzida milhões de vezes, a vida é, na maior parte, rapidamente aniquilada ou apanhada como presa por outra vida, a fim de alimentá-la. É precisamente esse o método-mestre da produção de formas de vida sempre novas. "Não torturarás, não infligirás dor!" A natureza ignora esse mandamento. Suas criaturas dependem de se dilacerar reciprocamente numa luta eterna.

"Nada é bom ou mau; é o pensamento que o torna assim." Nenhum acontecimento natural é bom ou mau por si só, nem é belo ou feio por si só. Não existem valores e, em particular, não existem significado nem finalidade. A natureza não age por propósitos. Se em alemão falamos de uma adaptação intencional (*zweckmässig*) de um organismo a seu ambiente, sabemos que isso nada mais é que uma

MENTE E MATÉRIA   151

maneira cômoda de falar. Se o tomarmos literalmente, estaremos errados. Estaremos errados dentro dos limites de nossa imagem do mundo. Nela, só existe ligação causal.

Mais doloroso é o silêncio absoluto de todas as nossas investigações científicas para com nossas questões referentes ao significado e escopo de todo o espetáculo. Quanto maior a atenção com que o observamos, mais despropositado e tolo nos parecerá. O espetáculo em andamento obviamente adquire um significado apenas com relação à mente que o contempla. Mas o que a ciência nos diz sobre esse relacionamento é patentemente absurdo: como se a mente só tivesse sido produzida por esse mesmo espetáculo a que está ora assistindo e que perecerá com ele quando o Sol finalmente esfriar e a Terra tiver se transformando num deserto de gelo e neve.

Gostaria de mencionar rapidamente o notório ateísmo da ciência que vem, é claro, sob o mesmo cabeçalho. A ciência está sempre sendo criticada, mas tão injustamente. Nenhum deus pessoal pode fazer parte de um modelo de mundo que só se tornou acessível à custa de remover dele tudo o que é pessoal. Quando se tem a experiência da presença de Deus, sabemos que é um evento tão real quanto uma percepção imediata dos sentidos ou como a da própria personalidade. Como elas, Deus deve estar ausente na imagem do espaço-tempo. Não encontro Deus em nenhum lugar do espaço nem do tempo – é isso o que um naturalista honesto lhes dirá. Por isso, ele incorre na reprovação daqueles em cujo catecismo está escrito: Deus é espírito.

5

CIÊNCIA E RELIGIÃO

Poderá a ciência facultar informações sobre questões ligadas à religião? Poderão os resultados da pesquisa científica ser de alguma ajuda para se chegar a uma atitude razoável e satisfatória para com aquelas questões de maior gravidade que de tempos em tempos afligem todo mundo? Alguns de nós, em particular a juventude saudável e feliz, conseguem deixá-las de lado durante longos períodos; outros, na idade avançada, se convencem de que não existe resposta e, resignados, desistem de procurar uma resposta, enquanto outros, ainda, são assombrados durante toda sua vida por essa incongruência de nosso intelecto, assombrados também pelos sérios temores levantados pela superstição popular, que o tempo tratou de dignificar. Refiro-me principalmente às questões relativas ao "outro mundo", à "vida após a morte" e a tudo aquilo que se relaciona a elas. Reparem, por favor, que não deverei, é claro, tentar responder a *estas* questões, mas somente àquela bem mais modesta, saber se a ciência pode dar alguma informação sobre esses problemas ou ajudar-nos a pensar sobre eles – o que para muitos de nós é inevitável.

Para começar, de uma maneira bem primitiva, ela certamente pode fazê-lo, e o vem fazendo sem muita dificuldade. Lembro-me de ter visto antigos mapas geográficos do mundo, creio eu, que incluíam o inferno, o purgatório e o paraíso, o primeiro sendo colocado nas profundezas do solo, o último no alto dos céus. Tais representações não eram puramente alegóricas (como poderiam vir a sê-lo nos períodos posteriores, por exemplo, no famoso quadro *Todos os Santos*, de Dürer); testemunham uma primitiva crença, bem popular na época. Hoje, nenhum credo exige que os fiéis interpretem seus dogmas de uma maneira materialista; iria antes desestimular seriamente tal atitude. Esse avanço certamente foi ajudado pelo nosso conhecimento do interior de nosso planeta (por menor que seja), da natureza dos vulcões, da composição de nossa atmosfera, da história provável do sistema solar e da estrutura da galáxia e do universo. Nenhuma pessoa culta esperaria encontrar essas fantasias dogmáticas em qualquer região daquela parte do espaço que é acessível à nossa investigação e, eu até diria, em nenhuma região contígua a esse espaço, mas inacessível à pesquisa; ela lhes daria, mesmo se convencida de sua realidade, uma postura espiritual. Não direi que com pessoas profundamente religiosas tal esclarecimento tenha precisado aguardar as descobertas supramencionadas da ciência, mas estas certamente ajudaram a erradicar a superstição materialista nessas questões.

Contudo, isso se refere a um estado mental bem primitivo. Há pontos de maior interesse. As contribuições mais importantes da ciência para superar as perguntas espinhosas "Quem realmente somos? De onde vim e para onde vou?" – ou, pelo menos, para tranquilizar nossas mentes – digo, a ajuda mais vultosa que a ciência nos ofereceu para isso é, em minha opinião, a gradual idealização do tempo. Ao pensar sobre isso, os nomes de três homens impõem-se-nos, embora muitos outros, inclusive não cientistas, tenham seguindo a mesma trilha, como S. Agostinho de Hipona e Boécio; os três nomes a que aludi são Platão, Kant e Einstein.

Os dois primeiros não eram cientistas, mas sua forte devoção às questões filosóficas, seu interesse absorvente pelo mundo vieram da ciência. No caso de Platão, surgiu da matemática e da geometria (o "e" estaria fora de lugar hoje, mas não, penso eu, em seu tempo). O que dotou todo o trabalho de Platão com tal distinção insuperável, que brilha sem perda de esplendor depois de mais de dois mil anos? De tudo que sabemos, nenhuma descoberta especial sobre números ou figuras geométricas é creditada a ele. Sua compreensão do mundo material da física e da vida é ocasionalmente fantástica e totalmente inferior ao de outros (os sábios desde Tales até Demócrito), que viveram, alguns deles, mais de um século antes de sua época; quanto ao conhecimento da natureza, foi superado de longe por seu pupilo Aristóteles e por Teofrasto. Para todos, exceto seus ardentes adoradores, longas passagens em seus diálogos dão a impressão de uma tergiversação gratuita sobre palavras, sem qualquer intenção de definir o significado de uma palavra, mas na crença de que a própria palavra exibirá seu conteúdo, caso ela seja seguidamente retorcida durante um tempo suficiente. Sua Utopia social e política, que falhou e o colocou em grave perigo quando tentou promovê-la na prática, encontra poucos admiradores em nossos dias; e estes tristemente experimentaram algo parecido. O que então criou sua fama?

Em minha opinião, foi isto: ele foi o primeiro a prefigurar a ideia da existência intemporal e a enfatizá-la – contra a razão – como realidade, mais real que nossa experiência; esta, disse ele, nada mais é que a sombra da primeira, da qual toda a realidade sentida é emprestada. Estou falando da teoria das formas (ou ideias). Como teve origem? Não há dúvida de que surgiu quando ele entrou em contato com os ensinamentos de Parmênides e dos eleatas. Mas é igualmente óbvio que esses ensinamentos encontraram em Platão uma mente congenial, estando bem alinhados com sua bela analogia de que aprender por meio da razão consiste mais em relembrar o conhecimento, anteriormente possuído mas ora latente, mais que descobrir verdades inteiramente novas. Contudo, o Uno eterno, ubíquo e imutável de Parmênides transformou-se na mente de Platão em um pensamento muito mais poderoso, o Reino das Ideias, que apela para a imaginação, embora permaneça necessariamente um mistério. Mas esse pensamento brotou, acredito, de uma experiência bem real, a saber, de que ficou admirado e maravilhado com as revelações no reino dos números e das figuras geométricas – como ficaram também muitos homens depois dele e os pitagóricos antes. Ele reconheceu e absorveu profundamente em sua mente a natureza dessas revelações, que se desdobram com o raciocínio lógico puro, que nos familiariza com relações verdadeiras cuja verdade não é inexpugnável, mas está obviamente lá, para sempre; as relações valem e valerão quer as examinemos ou não. Uma verdade matemática é intemporal, não ganha existência quando a descobrimos. Contudo, sua descoberta é um evento bem real, pode ser uma emoção, como um grande presente de uma fada.

As três alturas de um triângulo (ABC) cruzam-se num único ponto (O). (A altura é a perpendicular tirada de um vértice até o lado oposto a ele, ou até seu prolongamento.) À primeira vista, não se percebe por que razão elas se encontram; três linhas *quaisquer* não se cruzam, geralmente formam um triângulo. Desenhemos agora, a partir de cada vértice, a paralela ao lado oposto, para formar um triângulo maior $A'B'C'$. Este consiste de quatro triângulos congruentes. No triângulo maior, as três alturas de *ABC* são as perpendiculares erguidas no meio de seus lados, suas "linhas de simetria". Agora, aquela erguida em *C* deve conter todos os pontos que estejam à mesma distância tanto a partir de *A' como a partir de B'*; aquela erguida em *B'* contém todos aqueles pontos que estejam à mesma distância tanto a partir de *A'* como a partir de *C'*. O ponto onde essas duas perpendiculares se encontram está, portanto, à mesma distância de todos os três vértices *A', B', C',* e deve, portanto, também estar situado na perpendicular erguida em *A*, pois esta contém todos os pontos que estão à mesma distância de *B'* e de *C'*. C.Q.D.

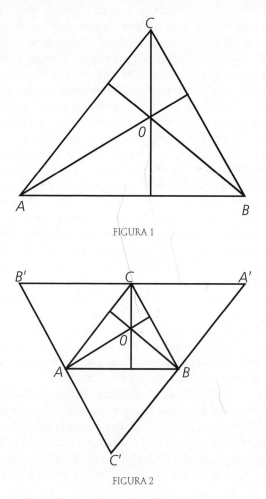

FIGURA 1

FIGURA 2

MENTE E MATÉRIA 157

Todo inteiro, exceto 1 e 2, está "no meio" de dois números primos ou é sua média aritmética, por exemplo:

$$8 = \frac{1}{2}(5 + 11) = \frac{1}{2}(3 + 13)$$
$$17 = \frac{1}{2}(3 + 31) = \frac{1}{2}(29 + 5) = \frac{1}{2}(23 + 11)$$
$$20 = \frac{1}{2}(11 + 29) = \frac{1}{2}(3 + 37)$$

Como veem, geralmente existe mais de uma solução. O teorema se chama teorema de Goldbach e acredita-se que seja verdadeiro, embora não tenha sido demonstrado.

Somando os números ímpares consecutivos, partindo, primeiro, precisamente do 1, depois $1 + 3 = 4$, depois $1 + 3 + 5 = 9$, depois $1 + 3 + 5 + 7 = 16$, sempre se obtém um número quadrado; de fato, obtêm-se desta forma todos os números quadrados, sempre o quadrado do número de números ímpares somados. Para apreender a generalidade desta relação, pode-se substituir na soma os comandos de cada par que esteja equidistante do meio (portanto: o primeiro e o último, depois o primeiro após o primeiro e o último menos um etc.) por sua média aritmética, que é, obviamente, exatamente igual ao número de fatores; logo, no último dos exemplos acima:

$$4 + 4 + 4 + 4 = 4 \times 4$$

Voltemos agora a Kant. Tornou-se um lugar-comum dizer que ele ensinou a idealidade do espaço e do tempo e que isso era uma parte fundamental, se não a mais fundamental, de seus ensinamentos. Como a maioria de suas ideias, essa idealidade não se pode verificar nem falsear, mas nem por isso perde o interesse (pelo contrário, ganha; se pudesse ser comprovada ou refutada, seria trivial). Significa que ter extensão no espaço e acontecer numa ordem temporal bem-definida de "antes e depois" não é uma qualidade do mundo que percebemos, mas é próprio da mente perceptiva que, de alguma forma em sua presente situação, não consegue deixar de registrar o tudo que se lhe é oferecido, de acordo com estas duas chaves de classificação: o espaço e o tempo. Não significa que a mente compreenda esses esquemas de ordem independentemente e antes de qualquer experiência, mas que não consegue deixar de desenvolvê-los e aplicá-los à experiência quando esta acontece e, particularmente, que esse fato não comprova nem sugere que espaço e tempo sejam um esquema de ordem inerente àquela "coisa em si" que, como acreditam alguns, causa nossa experiência.

Não é difícil construir um argumento que mostre que tal coisa é um embuste. Nenhum indivíduo pode fazer uma distinção entre o

158 ERWIN SCHRÖDINGER

reino de suas percepções e o reino das coisas que as causam, uma vez que, por mais detalhado que seja o conhecimento que porventura possa ter adquirido sobre todo o episódio, este está ocorrendo somente uma vez, não duas. A duplicação é uma alegoria, sugerida principalmente pela comunicação com outros seres humanos e, mesmo, com animais; alegoria que mostra que as percepções dos outros, na mesma situação, parecem bem semelhantes às suas próprias, exceto diferenças insignificantes de pontos de vista – no sentido literal de "ponto de projeção". Mas, mesmo supondo que isso nos force a considerar um mundo objetivamente existente como a causa de nossas percepções, como o faz a maioria das pessoas, como é que deveríamos decidir se uma característica comum de toda a nossa experiência se deve à constituição de nossa mente e não a uma qualidade compartilhada por todas essas coisas objetivamente existentes? Nossas percepções sensoriais declaradamente constituem nosso único conhecimento sobre as coisas. O mundo objetivo continua sendo uma hipótese, apesar de natural. Se de fato a adotarmos, não seria, sem dúvida, a coisa mais natural atribuir àquele mundo externo, e não a nós mesmos, todas as características que nossas percepções sensoriais encontram nele?

Contudo, a suprema importância da afirmação de Kant não consiste simplesmente em distribuir entre eles, com equidade, papéis da mente e de seu objeto – o mundo – no processo pelo qual "a mente forma uma ideia do mundo", pois, como acabei de ressaltar, dificilmente será possível discriminar um do outro. O ponto essencial foi formar a ideia de que esta *coisa* – mente ou mundo – bem poderá ser capaz de assumir outras formas que não podemos compreender e que não implicam as noções de espaço e tempo. Isso significa uma momentosa libertação de nosso inveterado preconceito. Existem, provavelmente, outras ordens de aparência além das espaçotemporais. Foi Schopenhauer, acredito, quem primeiro interpretou Kant desse modo. Essa liberação abre caminho para a crença, no sentido religioso, sem gastar todo o tempo contra os resultados que a experiência do mundo tal como o conhecemos e o pensamento direto inequivocadamente enunciam. Por exemplo – para falar do exemplo mais importante –, a experiência, como a conhecemos, indubitavelmente força a convicção de que não pode sobreviver à destruição do corpo, a cuja vida, como a conhecemos, está inseparavelmente ligada. Então, não deverá existir nada após a vida? Não. Não da maneira da experiência que conhecemos, que, necessariamente, ocorre no espaço e no tempo. Mas, numa ordem de aparência em que o tempo não desempenhe nenhum papel, esta noção de "depois" não tem qualquer significado. O pensamento

MENTE E MATÉRIA 159

puro não pode, é claro, oferecer-nos uma garantia de que *exista* esse tipo de coisa, mas pode remover os evidentes obstáculos para que o concebamos como possível. É isso o que Kant fez com sua análise e é aí, em minha opinião, que reside a sua importância filosófica.

Passo agora a falar sobre Einstein, no mesmo contexto. A atitude de Kant em relação à ciência era incrivelmente ingênua, como todos concordarão se folhearem seu livro *Fundamentos metafísicos da ciência* (*Metaphysische Anfangsgründe der Naturwissenschaft*). Ele aceitava a ciência física, na forma que ela tinha atingido em seu tempo de vida (1724-1804), como algo mais ou menos definitivo, e se ocupou em justificar filosoficamente suas sentenças. Ter acontecido algo desse tipo a um grande gênio deve servir de advertência a todos os filósofos posteriores. Ele mostraria cabalmente que o espaço era necessariamente infinito e acreditava firmemente que cabia à natureza da mente humana dotá-lo de duas propriedades geométricas resumidas por Euclides. Nesse espaço euclidiano, um molusco de matéria se movia, isto é, alterava sua configuração com o passar do tempo. Para Kant, como para qualquer físico de sua época, espaço e tempo eram duas concepções inteiramente diferentes e, portanto, ele não tinha escrúpulos em denominar o primeiro a forma de nossa intuição externa e o tempo, a forma de nossa intuição interna (*Anschauung*). O reconhecimento de que o espaço infinito euclidiano não é uma maneira inevitável de enxergar o mundo de nossa experiência e que seria melhor considerar espaço e tempo como um *continuum* de quatro dimensões pareceu despedaçar o fundamento de Kant – mas de fato não trouxe nenhum dano à parte de maior valor de sua filosofia.

Tal reconhecimento coube a Einstein (e a vários outros, H. A. Lorentz, Poincaré, Minkowski, por exemplo). O violento impacto de suas descobertas sobre os filósofos, sobre os homens comuns e as senhoras da sociedade deve-se ao fato de eles o terem trazido para o primeiro plano: mesmo no domínio de nossa experiência, as relações espaçotemporais são muito mais intricadas do que Kant sonhava que fossem, sendo acompanhado nisso por todos os físicos, homens comuns e senhoras da sociedade.

A nova visão tem seu mais forte impacto sobre a noção de tempo que existia anteriormente. Tempo é a noção de "antes e depois". A nova atitude surge das duas raízes que seguem:

(1) A noção de "antes e depois" reside na relação de "causa e efeito". Sabemos, ou pelo menos formamos a ideia, que um evento A pode causar ou pelo menos modificar um outro evento B, de tal forma que

se *A* não ocorresse, então *B* não ocorreria, pelo menos não na forma modificada. Por exemplo, quando uma granada explode, ela mata o homem que estava sentado sobre ela; além disso, a explosão é ouvida em lugares distantes. A morte pode ser simultânea à explosão, o ouvir do som num local distante será posterior; mas, certamente, nenhum dos efeitos pode ser anterior. Essa é uma noção básica, de fato é a única pela qual, também na vida cotidiana, é decidida a questão sobre qual de dois eventos foi posterior ou, no mínimo, não foi anterior. A distinção repousa inteiramente na ideia de que o efeito não pode preceder a causa. Se tivermos razões para achar que *B* foi causado por *A*, ou que pelo menos exibe vestígios de *A*, ou mesmo se (a partir de uma evidência circunstancial) for concebível que exiba vestígios, então considera-se que *B* não é anterior a *A*.

(2) Lembrem-se disso. A segunda raiz é a evidência experimental e observacional de que os efeitos não se disseminam com uma velocidade arbitrariamente alta. Existe um limite superior que, incidentalmente, é a velocidade da luz no espaço vazio. Na escala humana, considera-se um valor muito alto, pois daria para dar a volta ao equador cerca de sete vezes em um segundo. Bem alto, mas não infinito; chamemo-lo c. Aceitemos isso como um fato fundamental da natureza. Segue-se então que a mencionada discriminação entre "antes e depois" ou "mais cedo e mais tarde" (baseada na relação de causa e efeito) não é universalmente aplicável, falhando algumas vezes. Isso não é tão facilmente explicável em linguagem não matemática. Não que o esquema matemático seja tão complicado. Mas a linguagem cotidiana é prejudicial, pois está de tal forma imbuída da noção de tempo – não se pode usar um verbo (*verbum*, "a" palavra; em alemão, *Zeitwort*) sem empregá-lo em alguma conjugação.

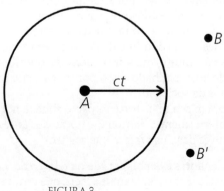

FIGURA 3

MENTE E MATÉRIA 161

Segue-se a consideração mais simples, mas que se mostrará não totalmente adequada. Seja um evento A. Contemplemos, em algum momento posterior, um evento B fora da esfera de raio ct em volta de A. Logo, B não pode exibir qualquer vestígio de A; nem, é claro, A de B. Portanto, nosso critério falha. Pela linguagem que empregamos supusemos, é claro, que B é posterior. Mas estaríamos certos quanto a isso, já que o critério falha de qualquer modo?

Contemplemos, em um momento anterior (através t), um evento B' fora daquela mesma esfera. Nesse caso, exatamente como antes, nenhum vestígio de B' pode ter atingido A (e, claro, nenhum vestígio de A pode ser exibido em B').

Assim, em ambos os casos, existe a mesma relação de não interferência mútua. Não existe diferença conceitual entre as classes B e B' com respeito à sua relação causa-efeito com A. Assim, se quisermos fazer dessa relação, e não de um preconceito linguístico, a base do "antes e depois", então B e B' formarão uma classe de eventos que não é anteriore nem posterior a A. A região do espaço-tempo ocupada por essa classe é chamada região de "simultaneidade potencial" (com respeito ao evento A). Essa expressão é empregada porque sempre é possível adotar uma estrutura de espaço-tempo que torne A simultâneo de um B ou um B' particular selecionado. Essa foi a descoberta de Einstein (que recebe o nome de Teoria da Relatividade Restrita, de 1905).

Hoje em dia, essas coisas se tornaram realidade muito concreta para nós, físicos; nós as usamos no trabalho diário, da mesma forma que empregamos a tabuada de multiplicar ou o teorema de Pitágoras sobre os triângulos retângulos. Às vezes, fico me perguntando por que elas teriam provocado tanto alvoroço entre leigos e filósofos. Suponho que seja porque representou a destronização do tempo como um tirano rígido imposto a nós a partir de fora, representou uma libertação da inquebrantável regra do "antes e depois". Pois é verdade que o tempo é nosso mais severo mestre, por restringir ostensivamente a existência de cada um de nós a limites muito estreitos – setenta ou oitenta anos, conforme o Pentateuco. Poder brincar com um magistral programa tido como indevassável, brincar com ele, ainda que de forma tímida, parece ser um grande alívio, parece encorajar a ideia de que toda a "cronologia" não é provavelmente tão séria quanto parecia antes. E esse pensamento é um pensamento religioso, e talvez eu devesse chamá-lo de *o* pensamento religioso.

162 ERWIN SCHRÖDINGER

Einstein não contradisse – como algumas vezes ouvimos dizer – os profundos pensamentos de Kant sobre a idealização do espaço e do tempo; pelo contrário, deu um grande passo em direção a seu aperfeiçoamento. Falei do impacto de Platão, Kant e de Einstein sobre a perspectiva filosófica e religiosa. Mas, entre Kant e Einstein, cerca de uma geração antes do último, a ciência física testemunhou um evento marcante, que parece ter sido calculado para alvoroçar o pensamento de filósofos, homens comuns e senhoras da sociedade, tanto quanto o fez a teoria da relatividade, senão mais. Isso só não aconteceu, acredito, devido ao fato de que essa mudança de visão é ainda mais difícil de entender, e foi, portanto, percebida por muito poucos entre essas três categorias de pessoas e, no máximo, por um ou outro filósofo. O evento está ligado aos nomes do norte-americano Willard Gibbs e do austríaco Ludwig Boltzmann. Vou agora falar um pouco a respeito disso.

Com bem poucas exceções (que realmente são exceções), o curso dos eventos na natureza é irreversível. Se tentarmos imaginar uma sequência temporal de fenômenos exatamente oposta àquela que está de fato sendo observada – como um filme cinematográfico passado em ordem invertida –, tal sequência invertida, embora possa ser facilmente imaginada, quase sempre estaria em franca contradição com leis bem estabelecidas da ciência física.

O "direcionamento" geral de todos os acontecimentos foi explicado pela teoria mecânica ou estatística do calor, e essa explicação foi com justiça saudada como sua mais admirável conquista. Não posso aqui entrar em detalhes da teoria física, e isso não é necessário para compreender o ponto central da explicação. Esta teria sido bem pobre, caso a irreversibilidade tivesse ficado restrita a uma propriedade fundamental do mecanismo microscópico de átomos e de moléculas. Isso não teria sido melhor que muitas explicações medievais de caráter puramente verbal, tais como: o fogo é quente dada a sua qualidade ígnea. Não. De acordo com Boltzmann, estamos frente a frente com uma tendência natural de qualquer estado ordenado de se transformar em um estado menos ordenado, mas não o contrário. Tomemos como analogia um conjunto de cartas arranjadas cuidadosamente, começando por 7, 8, 9, 10, valete, dama, rei e ás de copas, então o mesmo para ouros etc. Se esse conjunto bem ordenado for embaralhado uma, duas ou três vezes, ele gradualmente se transformará em um conjunto aleatório. Mas isso não é uma propriedade intrínseca ao processo de embaralhar. Dado o conjunto desordenado resultante, é perfeitamente imaginável um

MENTE E MATÉRIA 163

processo de baralhamento que cancelaria exatamente o efeito do primeiro ato de embaralhar e restauraria a ordem original. Ainda assim, todos esperam que o primeiro curso ocorra, e ninguém, o segundo. De fato, teríamos de esperar muito para que ele ocorresse por acaso. Agora, vem o ponto central da explicação de Boltzmann sobre o caráter unidirecional de tudo o que acontece na natureza (incluindo, é claro, a história de vida de um organismo desde o nascimento até a morte). Sua grande virtude está em que a "seta do tempo" (tal como Eddington a chamou) não está nos mecanismos de interação, representados em nossa analogia pelo ato mecânico de embaralhar. Esse ato, esse mecanismo é tão inocente quanto qualquer noção de passado e de futuro, é em si mesmo completamente reversível e a "seta" – a noção mesma de passado e de futuro – resulta de considerações estatísticas. Em nossa analogia das cartas, o ponto é que existe apenas um, ou alguns poucos, arranjos bem ordenados de cartas, mas bilhões de bilhões de desordenados.

Mesmo assim, a teoria tem recebido continuada oposição, ocasionalmente por pessoas muito capazes. A oposição se resume a: afirma-se que a teoria é inconsistente do ponto de vista lógico. Pois, assim se afirma, se os mecanismos básicos não distinguem entre duas direções do tempo, funcionando de forma perfeitamente simétrica a esse respeito, como pode a partir de sua cooperação resultar o comportamento do todo, um comportamento integrado, fortemente tendente a uma direção? Seja o que for que valha para essa direção, deve valer igualmente bem para a oposta.

Se esse argumento é válido, parece ser fatal. Pois se dirige ao ponto considerado a principal virtude da teoria: a derivação de eventos irreversíveis a partir de mecanismos básicos reversíveis.

O argumento é perfeitamente válido, embora não fatal. Ele é legítimo ao afirmar que o que vale para uma direção deve também valer para a direção oposta do tempo, que desde o início é introduzido como uma variável perfeitamente simétrica. Mas não se deve saltar para a conclusão de que ele vale em geral para ambas as direções. Em uma expressão mais cautelosa, deve-se dizer que em qualquer caso particular ele vale para uma ou para outra direção. Deve-se ainda dizer: no caso particular do mundo tal como o conhecemos, o "depauperamento progressivo" (para usar uma expressão que tem sido ocasionalmente adotada) acontece em uma direção, e é essa que chamamos a direção do passado para o futuro. Em outras palavras, deve-se deixar que a teoria estatística do calor decida sozinha por seu próprio arbítrio, por sua própria definição, em que direção o tempo flui. (Isto tem uma consequência marcante para a metodologia do físico. Ele jamais deve introduzir qualquer coisa que decida independentemente (sobre a seta do tempo, pois senão o belo edifício de Boltzmann desmorona.)

Poder-se-ia temer que em sistemas físicos diferentes a definição estatística do tempo nem sempre resultasse na mesma direção do tempo. Boltzmann enfrentou corajosamente essa possibilidade: manteve que se o universo for suficientemente extenso e/ou existir por um período suficientemente longo, o tempo poderá realmente correr na direção oposta, zonas remotas dele. Esse ponto tem sido disputado, mas não vale a pena continuar mais. Boltzmann não sabia, o que para nós é extremamente provável, a saber, que o universo, como o conhecemos, não é nem grande nem velho o suficiente para dar lugar a essas reversões em larga escala. Peço que me permitam adicionar, sem explicações mais detalhadas, que em uma escala muito pequena, tanto no espaço como no tempo, tais reversões têm sido observadas (o movimento browniano, Smoluchowski).

Em meu ponto de vista, a "teoria estatística do tempo" tem um impacto ainda mais forte sobre a filosofia do tempo do que o da teoria da relatividade. Esta, por mais que seja revolucionária, deixa intocado o fluxo não direcional do tempo, o qual ela pressupõe, enquanto a teoria estatística o constrói a partir da ordem dos eventos. Isso significa uma libertação da tirania do velho Cronos. Aquilo que construímos em nossa mente não pode, assim penso, ter um poder ditatorial sobre ela, seja o poder de fazê-la prevalecer ou de aniquilá-la. Mas alguns dos senhores, estou certo, chamarão a isto misticismo. Assim, com o devido reconhecimento do fato de que a teoria física é sempre relativa, já que depende de certas suposições básicas, podemos, ou pelo menos assim acredito, afirmar que a teoria física em seu estágio atual sugere fortemente a indestrutibilidade da Mente pelo Tempo.

6

O MISTÉRIO DAS QUALIDADES SENSORIAIS

Neste último capítulo, desejo demonstrar com um pouco mais de detalhe o bastante estranho estado de coisas já notado em um famoso fragmento de Demócrito de Abdera – o estranho fato de que, por um lado, todo o nosso conhecimento do mundo que nos cerca, tanto o obtido na vida cotidiana como o revelado pelos mais cuidadosos e detalhadamente planejados experimentos de laboratório, repousa inteiramente em nossa percepção sensorial imediata, enquanto, por outro lado, esse conhecimento falha em nos revelar as relações entre as percepções sensoriais e o mundo externo, de tal forma que na imagem ou modelo que formamos do mundo externo, guiados por nossas descobertas científicas, todas as qualidades sensoriais estão ausentes. Enquanto a primeira parte da afirmação é, acredito, facilmente aceita por todos, a segunda metade não é talvez tão frequentemente percebida, simplesmente porque o não cientista tem, normalmente, uma grande reverência pela ciência e credita a nós cientistas a capacidade de, através de nossos "métodos fabulosamente refinados", compreender aquilo que, por sua própria natureza, nenhum ser humano pode possivelmente compreender nem jamais compreenderá.

Se você perguntar a um físico qual sua ideia sobre a luz amarela, ele lhe dirá que ela é formada de ondas eletromagnéticas transversais cujo comprimento de onda está na casa dos 590 milimícrons. Se você lhe perguntar: mas onde entra o amarelo?, ele lhe dirá: em meu quadro, absolutamente não entra; mas esse tipo de vibração, quando atinge a retina de um olho sadio, dá ao dono do olho a sensação de amarelo. Se a indagação prosseguir, você poderá ouvir que diferentes comprimentos de onda produzem diferentes sensações de cor, mas nem todos o fazem, apenas aqueles entre 800 e 400 $\mu\mu$. Para o físico, as ondas do infravermelho (mais que 800 $\mu\mu$) e do ultravioleta (menos que 400 $\mu\mu$) constituem o mesmo tipo de fenômeno que os da região entre 800 e 400 $\mu\mu$, às quais o olho é sensível. Como essa seleção peculiar aconteceu? Trata-se obviamente de uma adaptação à luz solar, que é mais forte nesta zona de comprimentos de onda, e decai em ambos os extremos. Além disso, a sensação de cor intrinsecamente mais brilhante, o amarelo, é encontrada no local (dentro da dita zona) em que a radiação solar atinge seu máximo, um verdadeiro pico.

Podemos ainda perguntar: a radiação na vizinhança do comprimento de onda de 590 $\mu\mu$ é a única a produzir a sensação de amarelo? A resposta é: absolutamente não. Se ondas de 760 $\mu\mu$, que por si produzem a sensação de vermelho, forem misturadas com uma proporção definida de ondas de 535 $\mu\mu$, que por si produzem a sensação de verde, a mistura produz um amarelo que é indistinguível daquele produzido por 590 $\mu\mu$. Dois campos adjacentes iluminados, um pela mistura e o outro pela luz pura do espectro, terão aparência exatamente igual, não sendo possível dizer qual é qual. Isso poderia ser previsto a partir dos comprimentos de onda? Existe uma conexão numérica entre essas características físicas, objetivas, das ondas? Não. Evidentemente, um gráfico de todas as misturas desse tipo foi desenhado empiricamente: é chamado de triângulo de cores. Mas ele não tem uma conexão simples com os comprimentos de onda. Não existe uma regra geral que diga que a mistura de duas luzes espectrais case com uma entre elas. Por exemplo, uma mistura de "vermelho" e "azul", das extremidades do espectro, resulta em "roxo", que não é produzido por nenhuma luz espectral. Além disso, o gráfico, o triângulo de cores, varia ligeiramente de uma pessoa para outra, e difere consideravelmente para algumas pessoas, chamadas tricromáticos anômalos (que *não* são daltônicos).

A sensação de cor não pode ser explicada pelo quadro objetivo que o físico faz das ondas luminosas. Poderia o fisiologista explicá-la, se tivesse um conhecimento mais completo do que o que possui sobre os processos na retina e os processos nervosos disparados por eles nos feixes de nervos ópticos e no cérebro? Não acho possível. Poderíamos no máximo chegar a um conhecimento objetivo de quais fibras são excitadas e em que proporção, talvez mesmo saber exatamente que processos elas produzem em certas células do cérebro sempre que a mente registrar a sensação de amarelo em uma direção ou domínio particular de nosso campo visual. Mas mesmo um conhecimento tão detalhado nada nos informaria sobre a sensação de cor, mais particularmente, do amarelo, pois é concebível que os mesmos processos fisiológicos possam resultar na sensação de doce ou de qualquer outra coisa. O que quero expressar é apenas que podemos estar certos de que não há processo nervoso cuja descrição objetiva inclua a característica "cor amarela" ou "sabor doce", da mesma forma que não há descrição objetiva de uma onda eletromagnética que inclua qualquer dessas características.

O mesmo vale para outras sensações. É bastante interessante comparar a percepção de cor, que acabamos de examinar, com a de som. Este é normalmente trazido a nós por ondas elásticas de compressão e de dilatação, propagadas pelo ar. Seu comprimento de onda – ou, para ser mais preciso, sua frequência – determina a altura do som ouvido. (Note-se que a relevância fisiológica diz respeito à frequência, não ao comprimento de onda, como também acontece no caso da luz, na qual, no entanto, frequência e comprimento de onda são virtualmente recíprocos exatos um do outro, já que as velocidades de propagação no espaço vazio e no ar não diferem perceptivelmente.) Não preciso lhes dizer que a gama de frequências do "som audível" é muito diferente daquela da "luz visível": varia de 12 ou 16 por segundo a 20.000 ou 30.000 por segundo, enquanto a da luz é da ordem de muitas centenas de bilhões. A gama relativa, por outro lado, é muito maior para o som, pois engloba cerca de 10 oitavas (contra uma no máximo da "luz visível"). Além disso, muda conforme o indivíduo, especialmente com a idade: o limite superior é regular e consideravelmente reduzido, conforme a idade avança. Mas o fato mais incrível acerca do som é que uma mistura de várias frequências distintas nunca se combina para produzir exatamente uma altura intermediária, que poderia ser produzida por uma frequência intermediária. Em larga medida, as alturas superpostas são percebidas separadamente – mesmo que simultâneas –, especialmente por pessoas muito musicais. A mistura de muitas notas altas ("harmônicos") de várias qualidades e intensidades resulta no que é chamado de timbre (*Klangfarbe*, em alemão), através do qual aprendemos a distinguir um violino, uma corneta, um sino, um piano... mesmo que uma só nota seja tocada. Mas, mesmo os ruídos têm seu timbre, a partir do qual podemos inferir o que está acontecendo; mesmo meu cão está familiarizado com o ruído peculiar da abertura de uma certa lata, da qual normalmente saem biscoitos para ele. Em tudo isso, a operação conjunta das frequências é de suma importância. Se todas forem alteradas na mesma taxa, como se faz quando se toca

168 ERWIN SCHRÖDINGER

um disco de gramofone muito rápida ou muito lentamente, ainda é possível reconhecer o que está acontecendo. Porém, algumas distinções relevantes dependem das frequências absolutas de certos componentes. Se um disco de gramofone contendo voz humana é tocado muito depressa, as vogais se alteram de forma perceptível; em particular, o "a" como em "car" muda para um "a" pronunciado em "care".[1] Uma gama contínua de frequências é sempre desconfortável, seja ela dada como uma sequência, como produzida por uma sirene ou por um gato a miar, ou simultaneamente, o que é difícil de implementar, exceto talvez por um conjunto de sirenes ou por um conjunto de gatos em alarido. Isso é, de novo, completamente diferente do caso da percepção da luz. Todas as cores que normalmente percebemos são produzidas por misturas contínuas; e uma gradação contínua de matizes, em uma pintura ou na natureza, é às vezes de grande beleza.

As principais características das percepções sonoras são bem compreendidas por meio dos mecanismos do ouvido, dos quais temos um conhecimento mais seguro e superior do que o da química da retina. O órgão principal é a *cóclea*, um tubo ósseo espiralado que lembra a concha de certos caramujos marinhos: uma delicada escada em espiral que se torna mais e mais estreita conforme "sobe". Em lugar dos degraus (para continuar com nosso símile), fibras elásticas são esticadas por toda a escada em espiral, o que forma uma membrana cuja espessura (ou o comprimento das fibras individuais) diminui da "base" para o "topo". Assim, como nas cordas de uma harpa ou de um piano, fibras de diferentes comprimentos respondem mecanicamente a oscilações de diferentes frequências. A uma frequência dada, uma pequena área – e não apenas uma fibra – da membrana responde; a outra frequência, uma outra área, na qual as fibras são mais curtas. Uma vibração mecânica de frequência definida deve disparar, em cada um desses grupos de fibras nervosas, os tão conhecidos impulsos nervosos que são propagados para certas regiões do córtex cerebral. Dispomos de um conhecimento geral de que o processo de condução é muito parecido em todos os nervos e muda apenas com a intensidade da excitação. Esta afeta a frequência dos pulsos, que, é claro, não deve ser confundida com a frequência do som, em nosso caso (as duas não têm nada a ver uma com a outra).

O quadro não é tão simples quanto desejaríamos que fosse. Se um físico tivesse construído o ouvido, tendo em vista proporcionar a seu

---

1 Em português, seria uma mudança de "a" para "é", aproximadamente. (N. T.)

dono a incrivelmente sutil discriminação de altura e de timbre que ele na verdade possui, o físico teria feito diferente. Mas talvez ele tivesse de desistir de seu plano. Seria simples e harmonioso se pudéssemos dizer que cada "corda" na cóclea responde a apenas uma frequência bem definida de vibração que penetra no ouvido. Não é assim. Mas por que não? Porque as vibrações dessas "cordas" são fortemente amortecidas. Isso, necessariamente, aumenta sua gama de ressonância. Nosso físico as teria construído com o menor amortecimento que pudesse. Mas isso teria a terrível consequência de que a percepção sonora não cessaria quase imediatamente depois de que a onda que a produz cessa: ela duraria por mais algum tempo, até que o pouco amortecido ressonante da cóclea parasse. A discriminação de altura seria obtida pelo sacrifício da discriminação de tempo entre sons subsequentes. É intrigante como o mecanismo real faz para reconciliar ambos de forma tão harmoniosa.

Entrei aqui em algum detalhe para que vocês percebessem que nem a descrição do físico, nem a do fisiologista, contêm qualquer traço da sensação de som. Qualquer descrição desse tipo está fadada a terminar com uma sentença como: esses impulsos nervosos são conduzidos a uma certa parte do cérebro, onde são registrados como uma sequência de sons. Podemos seguir as mudanças de pressão no ar quando elas produzem vibrações no tímpano, podemos ver como seu movimento é transmitido a uma outra membrana por uma cadeia de delicados ossos e finalmente para partes da membrana dentro da cóclea, composta das fibras de comprimento variável descritas acima. Podemos atingir uma compreensão de como tal fibra vibrante dispara na fibra nervosa com a qual está em contato um processo elétrico e químico de condução. Podemos seguir essa condução até o córtex cerebral e podemos mesmo obter algum conhecimento de alguns dos eventos que ali ocorrem. Mas em nenhum ponto iremos dar com esse "registro de som", que simplesmente não está contido em nosso quadro científico, estando apenas na mente da pessoa de cujo ouvido e cérebro estamos falando.

Poderíamos, da mesma forma, discutir as sensações de tato, de quente e frio, de olfato e paladar. Os dois últimos, os sentidos químicos, como são algumas vezes chamados (o olfato permitindo o exame de gases, e o paladar, o de fluidos), têm em comum com a sensação visual que, a um infinito número de estímulos, eles respondem com uma variedade restrita de qualidades sensoriais; no caso do paladar: amargo, doce, azedo, salgado e suas misturas peculiares. O olfato é, acredito,

170 ERWIN SCHRÖDINGER

mais variado que o paladar e, particularmente em alguns animais, é muito mais refinado do que no homem. As características objetivas de um estímulo físico ou químico, que modificam marcadamente a sensação, parecem variar enormemente dentro do reino animal. As abelhas, por exemplo, têm uma visão de cor que penetra o ultravioleta. São autênticas bicromáticas (e não dicromáticas, como pareciam ser em experimentos antigos, que não levavam em conta o ultravioleta). É de particular interesse que as abelhas, como mostrou von Frisch, de Munique, há pouco tempo, sejam peculiarmente sensíveis a traços de polarização da luz. Isso as auxilia em sua orientação com respeito ao Sol de uma maneira tão elaborada quanto intrigante. Para um ser humano, mesmo a luz completamente polarizada é indistinguível da luz comum, não polarizada. Descobriu-se que os morcegos são sensíveis a vibrações de frequência extremamente alta ("ultrassom"), muito além do limite superior da audição humana; eles mesmos as produzem, usando-as como um tipo de "radar", para evitar obstáculos. O sentido humano de quente e frio exibe a estranha característica de *"les extrêmes se touchent"*: se inadvertidamente tocamos em um objeto muito frio, podemos por um momento acreditar que ele é quente e queimou nossos dedos.

Há cerca de vinte ou trinta anos, químicos nos EUA descobriram um curioso composto, de cuja designação química me esqueci; um pó branco, que é insípido para algumas pessoas, mas intensamente amargo para outras. Esse fato suscitou grande interesse, e tem sido amplamente investigado desde então. A qualidade de ser um "portador de paladar" (para essa substância) é inerente ao indivíduo, indiferente a quaisquer outras condições. Além disso, a característica é herdada, de acordo com as leis de Mendel, de uma forma semelhante à da herança das características de grupo sanguíneo. Da mesma forma que com esta, parece não haver vantagem concebível ou desvantagem implicada em alguém ser um "com paladar" ou "sem paladar". Um dos dois alelos é dominante em heterozigotos e eu acredito que seja aquele do "com paladar". Parece-me muito improvável que essa substância, descoberta por acaso, seja única. Muito provavelmente, "gostos diferem" de forma muito geral, e num sentido muito concreto!

Voltemos ao caso da luz e sondemos um pouco mais fundo a forma como ela é produzida e a maneira como o físico explica suas características objetivas. Suponho que, por agora, seja conhecimento comum que a luz é usualmente produzida por elétrons, em particular por aqueles que em um átomo "fazem alguma coisa" em torno do núcleo.

MENTE E MATÉRIA   171

Um elétron não é vermelho, nem azul, nem de qualquer outra cor; o mesmo vale para o próton, o núcleo do átomo de hidrogênio. Mas a união de ambos no átomo de hidrogênio, de acordo com o físico, produz radiação eletromagnética em um determinado arranjo bem definido de comprimentos de onda. Os constituintes homogêneos dessa radiação, quando separados por um prisma ou por uma grade óptica, estimulam no observador as sensações de vermelho, verde, azul, violeta, pela intermediação de certos processos fisiológicos cujo caráter geral é suficientemente bem conhecido para que se possa afirmar que eles não são de fato vermelhos, ou verdes ou azuis, mas que os elementos nervosos em questão não mostram qualquer cor em virtude de serem estimulados. O branco ou o cinza que as células nervosas exibem, sejam estimuladas ou não, é certamente insignificante perto da sensação de cor que, no indivíduo a quem esses nervos pertencem, acompanha sua excitação.

Em todo caso, nosso conhecimento da radiação do átomo de hidrogênio e das propriedades objetivas, físicas, dessa radiação originaram-se da observação dessas linhas espectrais coloridas, em posições determinadas, dentro do espectro obtido de vapor de hidrogênio brilhante. Isso proporciona o primeiro conhecimento, mas não todo o conhecimento. Para consegui-lo, a eliminação das percepções sensoriais tem de ser estabelecida já, e é desejável que persigamos esse objetivo neste exemplo característico. A cor em si não diz nada sobre o comprimento de onda; de fato, já vimos, por exemplo, que uma linha espectral amarela poderia concebivelmente não ser "monocromática", no sentido do físico, mas composta de muitos distintos comprimentos de onda, se não soubéssemos que a construção de nosso espectroscópio exclui tal possibilidade. Ele recolhe luz de comprimento de onda definido, em uma posição definida do espectro. A luz que ali aparece tem exatamente o mesmo comprimento de onda, seja qual for sua origem. Mesmo assim, a qualidade da sensação de cor não dá qualquer pista direta para que se infira a propriedade física, o comprimento de onda, e isso sem contar nossa comparativa pobreza para discriminação de matizes, que certamente não satisfaria o físico. *A priori*, a sensação de azul poderia concebivelmente ser estimulada por ondas longas e a de vermelho, por ondas curtas, em lugar do inverso, que é realmente o caso.

Para completar nosso conhecimento das propriedades físicas da luz que se origina em uma fonte qualquer, um tipo especial de espectroscópio precisou ser usado: a decomposição é conseguida através de uma grade óptica. Um prisma não serviria, pois não se sabe de antemão os

172 ERWIN SCHRÖDINGER

ângulos em que ele refrata os diferentes comprimentos de onda. Eles são diferentes para prismas de materiais diferentes. De fato, *a priori*, com um prisma não se poderia sequer afirmar que a radiação mais fortemente desviada é de comprimento de onda menor, como é realmente o caso.

A teoria da grade de difração é muito mais simples que a do prisma. A partir de uma suposição básica acerca da luz – meramente que ela é um fenômeno ondulatório – pode-se, se se tiver medido o número por polegada de orifícios equidistantes na grade (usualmente, da ordem de muitos milhares), dizer o ângulo exato de desvio para um dado comprimento de onda e, portanto, inversamente, inferir o comprimento de onda a partir da "constante da grade" e do ângulo de desvio. Em certos casos (notavelmente nos efeitos Zeeman e Stark), algumas das linhas espectrais são polarizadas. Para completar a descrição física nesse aspecto, no qual o olho humano é inteiramente insensível, coloca-se um polarizador (um prisma de Nicol) no caminho do feixe antes de decompô-lo; ao se rodar lentamente o Nicol em torno de seu eixo, certas linhas são extintas ou reduzidas a seu brilho mínimo para certas orientações do Nicol, o que indica a direção (ortogonal ao feixe) de sua polarização total ou parcial.

Uma vez que toda a técnica está desenvolvida, ela pode ser estendida para muito além da região do visível. As linhas espectrais de vapores incandescentes não estão de forma alguma restritas à região do visível, que não pode ser distinguida fisicamente. As linhas formam uma série longa, teoricamente infinita. Os comprimentos de onda de cada série estão relacionados por uma lei matemática relativamente simples, peculiar a ela, que vale uniformemente em toda a série, sem qualquer distinção quanto à parte da série que acontece estar na região visível. Essas leis quanto às séries foram encontradas primeiro empiricamente, mas são agora compreendidas teoricamente. Naturalmente, fora da região visível, uma chapa fotográfica deve substituir os olhos. Os comprimentos de onda são inferidos a partir de puras medições de comprimento: primeiro, e de uma vez por todas, mede-se a constante da grade, isto é, a distância entre orifícios vizinhos (a recíproca do número de orifícios por unidade de comprimento); depois, medem-se as posições das linhas sobre a chapa fotográfica, a partir do que, junto com as dimensões conhecidas do equipamento, os ângulos de desvio podem ser computados.

Essas são coisas bem conhecidas, mas quero sublinhar dois pontos de importância geral, que se aplicam a quase toda medição física.

MENTE E MATÉRIA 173

O estado de coisas sobre o qual me estendi um pouco aqui é frequentemente descrito dizendo-se que, conforme a técnica de medição é refinada, o observador é gradualmente substituído por um equipamento cada vez mais elaborado. Isso é, certamente no caso em questão, falso. Ele não é gradualmente substituído, mas colocado de lado de saída. Tentei explicar que a colorida impressão que o observador tem do fenômeno não lhe dá a menor pista quanto à sua natureza física. A técnica de projetar uma grade e medir certos comprimentos e ângulos tem de ser introduzida mesmo antes que o mais precário conhecimento qualitativo daquilo que chamamos natureza física objetiva da luz e de seus componente físicos possa ser obtido. E esse é um passo relevante. Que o equipamento seja gradualmente refinado depois disso, enquanto permanece essencialmente o mesmo, é epistemologicamente irrelevante, seja qual for o grau de melhoria atingido.

O segundo ponto é que o observador nunca é inteiramente substituído por instrumentos; pois, se fosse, não poderia obter qualquer conhecimento. Ele teve de construir o instrumento e, seja durante a construção, seja depois, precisou fazer cuidadosas medições de suas dimensões e checar suas partes móveis (por exemplo, um braço de suporte que se move em torno de um pino cônico e desliza ao longo de uma escala circular de ângulos) a fim de poder asseverar que o movimento é exatamente o pretendido. Verdade seja dita, para algumas dessas medições e checagens, o físico precisará depender da fábrica que produziu e entregou o instrumento. Ainda assim, toda essa informação remonta em último caso até as percepções sensoriais de alguma pessoa ou pessoas vivas, qualquer que tenham sido os engenhosos equipamentos usados para facilitar o trabalho. *Finalmente*, o observador deve, ao usar o instrumento para sua investigação, fazer leituras a partir dele, sejam leituras diretas de ângulos e distâncias, medidas sob o microscópio, seja entre linhas espectrais registradas sobre a chapa fotográfica. Muitos equipamentos auxiliares podem facilitar seu trabalho, por exemplo, o registro fotométrico feito através da transparência da placa, que fornece um diagrama aumentado no qual as posições das linhas podem ser facilmente lidas. Mas elas devem ser lidas! Nalgum ponto, os sentidos do observador devem aparecer. O registro mais cuidadoso, se não inspecionado, nada nos diz.

Assim, chegamos a esse estranho estado de coisas. Embora a percepção sensorial direta do fenômeno nada nos diga acerca de sua natureza física objetiva (ou daquilo que usualmente chamamos assim) e deva ser de saída descartada como fonte de informação, ainda assim o quadro teórico que obtemos deverá no fim de contas repousar inteiramente sobre uma complicada malha de distintas informações, todas elas obtidas por percepção sensorial direta. O quadro reside nelas, deve ser montado a partir delas, mas não se pode dizer que as contêm. Ao usar o quadro, normalmente nos esquecemos delas, exceto na forma muito geral de que sabemos que nossa ideia de onda luminosa não é a invenção casual de um doido, mas é baseada em experimentos. Fiquei surpreso quando descobri sozinho que esse estado de coisas era claramente entendido pelo grande Demócrito, no quinto século antes de Cristo – ele, que não tinha conhecimento de quaisquer equipamentos de medição física nem remotamente comparáveis àqueles sobre os quais venho lhes falando, e que são na verdade os mais simples entre os usados atualmente.

Galeno nos preservou um fragmento (Diels, fragmento 125), no qual Demócrito introduz o intelecto (διάνοια) em plena discussão com os sentidos (αἰσθήσεισ) acerca de o que é "real". O primeiro diz: "Existe ostensivamente cor, existe ostensivamente doçura, ostensivamente amargor, e na verdade apenas átomos no vácuo", ao que os sentidos respondem: "Pobre intelecto, esperas derrotar-nos ao mesmo tempo que tomas de nós tua evidência? Tua vitória é tua derrota".

Neste capítulo, tentei, através de exemplos simples, tomados da mais humilde das ciências, a saber, a física, contrastar dois fatos gerais: (a) que todo conhecimento científico está baseado na percepção sensorial, e (b) que, apesar disso, a visão científica assim formada dos processos naturais carece de todas as qualidades sensoriais e portanto não pode dar conta das mesmas. Permitam-me concluir com uma observação geral.

Teorias científicas são úteis para facilitar o exame de nossas observações e achados experimentais. Todo cientista sabe o quão difícil é memorizar um grupo moderadamente extenso de fatos antes que ao menos algum quadro teórico acerca deles tenha sido formado. Não é, portanto, de estranhar, e de forma alguma deve-se censurar os autores de ensaios originais ou de livros-texto, que depois que uma teoria razoavelmente coerente tenha sido formada, eles não descrevam os fatos nus que encontraram ou que desejam levar ao leitor, mas os vistam na terminologia daquela teoria ou teorias. Esse procedimento, ao mesmo tempo em que é útil para que memorizemos os fatos em um padrão bem-ordenado, tende a obliterar a distinção entre as observações reais e a teoria que vem delas. E, uma vez que as primeiras sempre são algum tipo de qualidade sensorial, facilmente se pensa que as teorias dão conta das qualidades sensoriais, o que, é claro, elas nunca fazem.

FRAGMENTOS AUTOBIOGRÁFICOS

Vivi longe de meu melhor amigo, na verdade o único amigo íntimo que já tive, durante a maior parte de minha vida. (Talvez seja por isso que muitas vezes eu tenha sido acusado de ser um flertador e não um verdadeiro amigo.) Ele estudou biologia (botânica, para ser exato); eu, física. E muitas noites vagueávamos para cá e para lá, entre a Gluckgasse e a Schlüsselgasse, entretidos em conversas filosóficas. Mal sabíamos, então, que aquilo que nos parecia original já tinha ocupado grandes mentes por séculos. Não é verdade que os professores fazem sempre o máximo para evitar esses tópicos, por temerem que possam entrar em conflito com as doutrinas religiosas e suscitar perguntas inquietantes? Este é o principal motivo por eu me voltar contra a religião, que nunca me fez nenhum mal.

Não tenho certeza se foi logo depois da Primeira Guerra Mundial ou durante a época em que passei em Zurique (1921-1927) ou, mesmo, mais tarde, em Berlim (1927-1933) que, uma vez mais, Fränzel e eu passamos uma longa noite juntos. Às primeiras horas da manhã, ainda nos encontrávamos conversando em um café na periferia de Viena. Ele parceria ter mudado muito com os anos. Afinal, nossas cartas tinham sido poucas, distanciadas e de muito pouca substância.

Eu deveria ter dito antes que também passávamos nosso tempo juntos lendo Richard Semon. Nunca antes ou além disso li com outra pessoa um livro sério. Richard Semon foi logo banido pelos biólogos, pois seus pontos de vista, tais como os biólogos os viam, eram baseados na herança de caracteres adquiridos. Assim, seu nome foi esquecido. Anos depois, encontrei-o em um livro (*Human Knowledge?*) de Bertrand Russell, que dedicou um cuidadoso estudo a esse genial biólogo, destacando a importância de sua teoria da Mneme. Fränzel e eu não nos vimos novamente até 1956. Dessa vez, foi um breve encontro em nosso apartamento em Viena, Pasteurgasse 4, com outras pessoas presentes, de tal forma que esses 15 minutos mal merecem ser mencionados. Fränzel e sua esposa viviam além da fronteira, de nossa fronteira do norte, sem ser, ao que parece, incomodados pelas autoridades; ainda assim, deixar o país tornou-se muito difícil. Nunca mais nos encontramos: dois anos depois, ele morreu subitamente.

Hoje, ainda mantenho amizade com seus simpáticos sobrinho e sobrinha, filhos de seu irmão favorito, Sílvio. Este, o caçula da família, era médico em Krems, onde fui visitá-lo, quando retornei à Áustria, em 1956. Ele devia já estar muito doente, pois morreu pouco depois. Um dos irmãos de Fränzel, E., ainda vive e é um respeitado cirurgião em Klagenfurt. Uma vez, E. me levou para o Einser (Sextener Dolomites) e, mais, viu-me voltar a salvo. Receio que tenhamos perdido contato, dado nossas diferentes visões do mundo.

Logo depois de eu entrar para a Universidade de Viena, em 1906, a única universidade da qual já fiz parte, o grande Ludwig Boltzmann encontrou seu triste fim em Duíno. Até hoje recordo as claras, precisas e, ainda assim entusiásticas palavras com que Fritz Hasenöhrl descreveu-nos o trabalho de Boltzmann. O sucessor e pupilo de Boltzmann deu sua aula inaugural, sem qualquer pompa ou cerimônia, no outono de 1907, no precário auditório do antigo prédio da Türkenstrasse. Fiquei muito impressionado com sua introdução e nenhuma percepção da física jamais me pareceu mais importante do que a de Boltzmann, mesmo contando Planck e Einstein. Incidentalmente, os primeiros trabalhos de Einstein (antes de 1905) mostram o quanto ele era fascinado com o trabalho de Boltzmann. Ele foi o único a dar um passo adiante, ao inverter a equação de Boltzmann $S = k \lg W$. Nenhum outro ser humano teve tão grande influência sobre mim quanto Fritz Hasenöhrl, exceto meu pai Rudolph, quem, durante os muitos anos que vivemos juntos, introduziu-me nas conversas acerca de seus variados interesses. Falarei acerca disso mais tarde.

Enquanto ainda era estudante, fiz amizade com Hans Thirring, o que se revelou ser um relacionamento duradouro. Quando Hasenöhrl foi morto em ação, em 1916, Hans Thirring tornou-se seu sucessor.

FRAGMENTOS AUTOBIOGRÁFICOS   179

Ele se aposentou aos 70, declinando do privilégio do ano honorário e deixando a cátedra de Boltzmann para seu filho, Walter.

Depois de 1911, quando eu era assistente de Exner, conheci K. W. F. Kohlrausch e outra longa amizade começou. Kohlrausch fez seu nome ao provar experimentalmente as chamadas "Flutuações de Schweidle". Um ano antes de estourar a Primeira Guerra Mundial, trabalhamos juntos na pesquisa sobre "radiações secundárias", que produziam – no menor ângulo possível, em pequenas placas de diferentes materiais – um feixe (misto) de raios gama. Aprendi duas coisas nesses anos: primeiro, que não sou afeito ao trabalho experimental e, segundo, que meu entorno, e as pessoas que faziam parte dele, já não eram capazes de fazer progressos experimentais em grande escala. Havia muitas razões para isso e uma delas era que, na velha e charmosa Viena, pessoas bem-intencionadas mas estúpidas eram colocadas, frequentemente por idade, em posições-chave, impedindo assim qualquer progresso. Se ao menos se houvesse percebido que era necessário ter personalidades de grande capacidade intelectual, mesmo que tivessem de ser trazidas de longe! As teorias acerca da eletricidade atmosférica e da radiatividade foram ambas originalmente desenvolvidas em Viena, mas qualquer um que quisesse se dedicar realmente a seu trabalho devia seguir essas teorias onde quer que fossem. Lise Meitner, por exemplo, deixou Viena e foi para Berlim.

De volta a meu caso: em retrospecto, fico feliz de, devido a meu treinamento como oficial da reserva em 1910-1911, ter sido indicado para assistente de Fritz Exner e não de Hasenöhrl. Isso significou que eu pude fazer experiências com K. W. F. Kohlrausch e usar vários instrumentos maravilhosos, levá-los para minha sala, especialmente os ópticos, e brincar com eles como me aprouvesse. Assim, pude ajustar um interferômetro, admirar os espectros, misturar cores etc. Foi assim que descobri – através da equação de Rayleigh – meu daltonismo. Além disso, eu estava comprometido com um longo curso prático e pude então aprender a apreciar a importância de fazer medições. Gostaria que houvesse mais físicos teóricos que apreciassem também isso.

Em 1918, tivemos uma espécie de revolução. O imperador Karl abdicou e a Áustria se tornou uma república. Nosso dia a dia permaneceu quase o mesmo. No entanto, minha vida foi afetada pela queda do Império. Eu havia aceitado o posto de lente em física teórica em Czernowitz e tinha planejado aproveitar todo meu tempo livre na aquisição de um conhecimento mais profundo de filosofia, pois

180 ERWIN SCHRÖDINGER

havia acabado de descobrir Schopenhauer, que me introduziu na Teoria Unificada dos Upanixades.

Para nós, vienenses, a guerra e suas consequências queriam dizer que não mais poderíamos satisfazer nossas necessidades básicas. A fome foi a punição que a Entente vitoriosa escolheu em retaliação à guerra ilimitada dos U-boats de seus inimigos, uma guerra tão atroz que o sucessor do príncipe Bismarck só pôde superar em quantidade, mas não em qualidade, na Segunda Guerra Mundial. A fome era a regra em todo o país, menos nas fazendas, onde nossas pobres mulheres eram mandadas para procurar por ovos, manteiga e leite. A despeito dos bens com que pagavam – acessórios de crochê, belas combinações etc. – eram desprezadas e tratadas como pedintes.

Em Viena, tornou-se virtualmente impossível socializar-se e manter amigos. Não havia nada o que oferecer e mesmo os mais simples pratos eram reservados para o almoço de domingo. Algumas vezes, essa carência de atividades sociais era compensada pela visita diária às cozinhas comunais. As *Gemeinschaftsküchen* eram frequentemente chamadas de *Gemeinheitsküchen* (*Gemeinschaft* = "comunidade"; *Gemeinheit* = "truque baixo"). Ali, nos encontrávamos para o almoço. Tínhamos de ser gratos àquelas mulheres que consideravam sua a responsabilidade de criar refeições a partir do nada. Sem dúvida, é mais fácil fazer isso para 30 ou 50 pessoas do que para três. Além disso, aliviar outros de uma carga é em si mesmo recompensador.

Meus pais e eu conhecemos ali várias pessoas de interesses semelhantes e alguns deles, os Radons, por exemplo, ambos matemáticos, tornaram-se grandes amigos de nossa família.

Acredito que, pelo menos de um modo, meus pais e eu éramos particularmente prejudicados. Naquela época, eu vivia em um grande apartamento (de fato, dois transformados em um), no quinto andar de um edifício valorizado, que pertencia ao pai de minha mãe. Não tinha luz elétrica, em parte porque meu avô não queria pagar para vê-la instalada e também porque meu pai, em particular, acostumou-se de tal forma à excelente luz de gás em uma época na qual as lâmpadas ainda eram muito caras e ineficientes, que realmente não víamos uso para elas. Nossos velhos aquecedores de telha haviam sido removidos e substituídos por aquecedores a gás, com refletores de cobre, já que era difícil arranjar empregados domésticos nessa época e queríamos tornar as coisas mais simples para nós. Gás também era usado para cozinhar, embora ainda tivéssemos um enorme e velho fogão a lenha na cozinha.

Tudo estava muito bem até o dia em que um órgão burocrático elevado, provavelmente a Assembleia Legislativa Municipal, decretou que o gás fosse racionado. Daquele dia em diante, toda casa tinha liberado apenas um metro cúbico por dia, não importando como o combustível fosse usado. Se alguém fosse flagrado usando mais que isso, seu gás era simplesmente cortado.

No verão de 1919, fomos para Millstadt, Caríntia, e meu pai, com 62 anos, mostrou os primeiros sinais da idade e daquela que seria sua doença terminal, algo que então não percebemos. Onde quer que fôssemos caminhar, ele ficava para trás, especialmente nas ladeiras, e disfarçava interesses botânicos para esconder a exaustão. A partir de 1902, o principal interesse de papai era a botânica. Durante os meses de verão, ele coletava material para seus estudos, não para montar o próprio herbário, mas para fazer experiências com seu microscópio e micrótomo. Ele se tornara um morfogeneticista e filogeneticista, abandonando sua dedicação aos grandes pintores italianos e seus próprios interesses artísticos, que consistiam em esboçar inúmeras paisagens. Sua amolada reação a nossos reclamos de "Oh, Rudolph, venha" e "Senhor Schrödinger, está ficando muito tarde" não nos alarmavam. Estávamos acostumados a ela e a consideramos resultado de sua concentração.

Depois de nosso retorno a Viena, os sinais se tornaram mais evidentes, mas ainda não os tomamos como sinal sério: frequentes e fortes sangramentos em seu nariz e retinas e, finalmente, fluido em suas pernas. Acho que ele sabia muito antes de todos que seu fim estava próximo. Infelizmente, isso foi justamente na época da calamidade do gás, de que falei antes. Adquirimos lâmpadas de carvão e ele insistiu em cuidar delas ele mesmo. Um cheiro terrível se espalhou a partir de sua bela biblioteca, que se havia transformado em um laboratório de carburetos. Vinte anos antes, ele havia aprendido a gravar com Schmutzer e usava a sala para mergulhar suas placas de cobre e zinco em ácidos e água clorada. Eu ainda frequentava a escola nessa época e mostrava grande interesse nessas atividades. Mas agora eu o deixava com suas coisas. Fiquei feliz em voltar para meu amado instituto de física, depois de servir na guerra por quase quatro anos. Além disso, no outono de 1919, eu me comprometi com uma moça que já há quarenta anos é minha esposa. Não sei se meu pai recebia tratamento médico adequado, mas sei que eu devia ter cuidado melhor dele. Devia ter ido a Richard von Wettstein, que, afinal, era um bom amigo seu, para procurar ajuda na faculdade de medicina. Será que um aconselhamento mais preciso teria desacelerado sua arteriosclerose? E, em caso afirmativo, teria sido isso bom para um homem doente? Só papai estava plenamente consciente de nossa situação financeira depois do fechamento da loja de tecidos impermeáveis e linóleo, na Stephanplatz, em 1917 (por falta de estoque).

Ele morreu tranquilamente na véspera de Natal, em 1919, em sua velha poltrona.

O ano seguinte foi de inflação galopante, o que significou depreciação da já magra conta bancária de papai que, de qualquer forma, nunca teria conseguido evitar prejuízos. O resultado da venda (com meu consentimento!) de tapetes persas dissolveu-se em nada; perdidos para sempre também foram os microscópios, o micrótomo e boa parte de sua biblioteca, da qual me desfiz por quase nada, pouco depois de sua morte. Sua maior preocupação durante seus últimos meses de vida era que eu, já na boa idade de 32 anos, ganhava praticamente nada: 1.000 coroas austríacas (sem descontar os impostos, pois estou certo de que ele os listava em sua declaração de renda, a não ser quando fui oficial durante a guerra). O único sucesso de seu filho que ele viveu para ver foi que a mim ofereceram (e eu aceitei) um posto mais bem pago de lente privado e assistente de Max Wien, em Jena.

Minha esposa e eu nos mudamos para Jena em abril de 1920, deixando minha mãe sozinha, algo de que hoje não fico nem um pouco orgulhoso. Ela tinha de arcar com o trabalho de encaixotar e esvaziar o apartamento. Como éramos cegos, então! Seu pai, que era dono da casa, estava muito preocupado, depois da morte de meu pai, a respeito de quem pagaria o aluguel. Nós não tínhamos como fazê-lo e mamãe teve de ceder lugar para um inquilino mais rico. Meu futuro sogro gentilmente apareceu com o homem, um negociante judeu que trabalhava para a Phoenix, uma próspera companhia de seguros. Então, mamãe teve de partir. Para onde, não sei. Não fôssemos nós tão cegos e teríamos previsto – e milhares de casos semelhantes nos dariam razão – quão excelente fonte de dinheiro para minha mãe, tivesse ela vivido mais, seria um grande e bem mobiliado apartamento. Ela morreu no outono de 1921, de câncer na coluna vertebral, depois do que havíamos acreditado ter sido uma bem-sucedida cirurgia de seu câncer de mama, em 1917.

Raramente me lembro de sonhos e poucas vezes os tive maus, exceto em minha primeira infância. Por muito tempo, depois da morte de meu pai, no entanto, um pesadelo se manteve recorrente: meu pai ainda estava vivo e eu sabia que havia me desfeito de todos seus belos livros e instrumentos de botânica. O que ele poderia fazer agora que eu imprudente e irrecuperavelmente destruíra a base de sua vida intelectual? Estou seguro de que foi minha consciência culpada a causadora do sonho, já que tão pouco olhei por meus pais entre 1919 e 1921. Essa é a única explicação, já que não sou normalmente incomodado seja por pesadelos ou culpa.

Minha infância e adolescência (1887-1910, mais ou menos) foi principalmente influenciada por meu pai, mas não da maneira educacional usual e sim de forma mais comum. Isso se deveu a ele passar mais tempo em casa do que a maioria dos homens que trabalham para viver e também ao fato de eu ficar em casa. Em meus primeiros anos de aprendizado, fui ensinado por um professor particular que vinha me ver duas vezes por semana e, na escola secundária, tínhamos ainda a abençoada tradição de lá permanecer 25 horas por semana, apenas pela manhã. (Em duas tardes apenas, tínhamos educação religiosa protestante.)

Aprendi muito nessas ocasiões, embora o resultado nem sempre se relacionasse com religião. Menos tempo com compromissos escolares é uma grande vantagem. Se um aluno se sente inclinado, ele tem tempo para pensar e pode também ter aulas particulares sobre os assuntos que não façam parte do currículo. Só consigo encontrar palavras gratas para minha velha escola (Akademisches Gymnasium): eu raramente me entediava e, quando isso acontecia (nosso curso preparatório de filosofia era realmente ruim), voltava minha atenção para outro assunto, para minha tradução do francês, por exemplo.

Nesta altura, gostaria de fazer uma observação de caráter mais geral. A descoberta de que os cromossomos são fatores decisivos na hereditariedade parece ter dado à sociedade o direito de menosprezar outros fatores bem conhecidos mas igualmente importantes, tais como comunicação, educação e tradição. Toma-se por suposto que eles não sejam assim tão importantes, já que, do ponto de vista genético, não são suficientemente estáveis. Isso é verdade. No entanto, existem casos como o de Kaspar Hauser, por exemplo, e o de um pequeno grupo de crianças tasmanianas "da Idade da Pedra" que só recentemente foram trazidas para a Inglaterra, onde lhes foi garantida uma criação inglesa de primeira classe, cujo efeito foi de que elas atingiram o nível educacional de ingleses de classe superior. Isso não deveria provar que são necessários tanto um código de cromossomos como um ambiente humano civilizado para produzir pessoas como nós? Em outras palavras, o nível intelectual de um indivíduo é moldado pela "natureza" e pela "criação". As escolas são, assim (não como nossa imperatriz Maria

184 ERWIN SCHRÖDINGER

Theresa gostava de vê-las), fundamentais para guiar o homem e muito menos importantes no que tange a propósitos políticos. E uma sólida base familiar é não menos importante para preparar o solo onde crescerá a semente que as escolas semearão. Esse é um fato infelizmente menosprezado por aqueles que afirmam que apenas as crianças vindas dos menos educados devem ir a um externato em busca de educação superior (será que suas crianças serão excluídas pelas mesmas razões?) e também pela alta sociedade inglesa, que vê como sinal de classe superior a substituição da vida em família pelo colégio interno e considera nobre deixar a casa mais cedo. Assim, mesmo a atual rainha teve de romper com seu primogênito e mandá-lo para tal instituição. Nada disso é, estritamente falando, meu assunto. Apenas veio à minha mente quando novamente percebi o quanto ganhei com o tempo em que fiquei com meu pai quando era pequeno e quão pouco eu teria aproveitado da escola se ele não estivesse ali. Ele na verdade sabia muito mais do que a escola tinha para oferecer, não porque fora forçado a estudar trinta anos antes, mas porque ainda mantinha vivo seu interesse. Se entrasse em detalhes aqui, acabaria tendo de contar uma longa história.

Mais tarde, quando ele começou com a botânica e eu praticamente devorei *A origem das espécies*, nossas discussões tomaram um caráter diferente, certamente diferente daquele apresentado na escola, onde a teoria da evolução ainda permanecia banida de nossas aulas de biologia e os professores de educação religiosa eram aconselhados a chamá-la de heresia. Claro que logo me tornei um ardente seguidor do darwinismo (e ainda sou), enquanto papai, influenciado por amigos, sugeria cautela. A ligação entre seleção natural e sobrevivência do mais apto, por um lado, e a Lei de Mendel e a teoria da mutação de De Vries, por outro, ainda precisava ser completamente revelada. Mesmo hoje, não entendo por que os zoólogos sempre tenderam a jurar por Darwin, enquanto os botânicos parecem ser bem mais reticentes. No entanto, em um ponto todos concordamos – e, quando digo "todos", lembro-me particularmente de Hofrat Anton Handlisch, que foi zoólogo no museu de história natural e a quem melhor conheci e de quem mais gostei entre os amigos de meu pai: somos unânimes em considerar que a base da teoria evolucionista era causal e não finalista e que nenhuma lei especial da natureza, tal como *vis viva*, ou uma enteléquia ou uma força de ortogênese etc. atuava nos organismos vivos para cancelar ou contrariar as leis universais da matéria inanimada. Meu professor de religião não teria ficado feliz com esse ponto de vista, mas ele, de qualquer forma, não me importa.

FRAGMENTOS AUTOBIOGRÁFICOS 185

Nossa família estava acostumada a viajar no verão. Isso não apenas abrilhantou minha vida, mas também ajudou a estimular meu apetite intelectual. Lembro-me de uma visita à Inglaterra, um ano antes de ter começado a escola intermediária (*Mittelschule*), quando fiquei com parentes de minha mãe, em Ramsgate. A longa e larga praia era ideal para passeios em lombo de burro e para aprender a andar de bicicleta. As fortes mudanças de maré exigiam minha total atenção. Pequenas cabines de banho sobre rodas eram colocadas ao longo da praia e um homem e seu cavalo estavam sempre ocupados movimentando essas cabines para frente e para trás, conforme a maré. No Canal, notei pela primeira vez que se podia perceber um funil de fumaça de navios distantes muito antes que os próprios aparecessem, o que é resultado da curvatura da superfície da água.

Em Leamington, encontrei minha bisavó em Madeira Villa. Ela se chamava Russell, e como a rua em que morava também era "Russell", convenci-me de que a rua ganhara o nome devido a meu bisavô. Uma tia de minha mãe também vivia ali com seu marido, Alfred Kirk, e seis gatos angorás. (Anos mais tarde, dizia-se que chegavam a vinte.) Além disso, ela tinha um gato ordinário que frequentemente voltava para casa de suas aventuras noturnas em um estado lamentável, de tal forma que ganhou o nome de Thomas Becket (referindo-se ao arcebispo de Canterbury que foi morto em exercício por ordem do rei Henrique II); não que isso significasse muito para mim então, nem era muito apropriado.

Foi graças a minha tia Minnie, a irmã caçula de mamãe, que se mudou de Leamington para Viena quando eu tinha cinco anos, que aprendi a falar fluentemente o inglês muito antes de que soubesse escrever em alemão, e muito menos em inglês. Quando fui finalmente introduzido à ortografia e leitura da língua que eu achava que sabia tão bem, fiquei surpreso. Foi graças a minha mãe que comecei a ter meio período de prática de inglês. Na época, isso não me agradou muito. Nós caminhávamos juntos de Weiherburg em direção à bela e na época ainda pequena e quieta Innsbruck e mamãe dizia: "Agora vamos falar inglês entre nós por todo o caminho; nem uma palavra em alemão". E era isso exatamente o que fazíamos. Só mais tarde percebi o quanto ganhei dessa época. Embora forçado a sair de meu país natal, nunca me senti um estranho no estrangeiro.

Parece que me lembro de visitar Kenilworth e Warwick em nossas andanças de bicicleta em torno de Leamington. E de volta a Innsbruck, vindos da Inglaterra, lembro-me de ver Bruges, Colônia, Coblenz – um

186 ERWIN SCHRÖDINGER

vapor nos levou Reno acima –, lembro-me de Rüdesheim, Frankfurt e Munique, acho; depois, Innsbruck. Posso me lembrar da pequena hospedaria que pertencia a Richard Attlmayr. Dali, fui pela primeira vez para a escola, em St. Nikolaus, onde tinha aulas particulares, pois meus pais receavam que eu tivesse me esquecido do ABC e da aritmética durante as férias e não passasse no exame de admissão de outono. Nos anos seguintes, nós quase sempre íamos ao Tirol Sul ou a Caríntia e, de vez em quando, a Veneza, por uns poucos dias de setembro. Não existe fim para a lista de coisas belas que tive a oportunidade de ver nesses dias, coisas que não mais existem por causa do automóvel, do "desenvolvimento" e das novas fronteiras. Acho que poucas pessoas na época, e hoje muito menos, tiveram uma infância e uma adolescência tão felizes quanto a que tive, mesmo sendo filho único. Todos eram amáveis comigo e nos dávamos bem entre nós. Se pelo menos todos os professores, incluindo os pais, tomassem a sério a necessidade de compreensão mútua! Sem ela, não podemos ter qualquer influência duradoura sobre aqueles que nos são confiados.

Talvez eu deva dizer alguma coisa sobre meus anos na universidade, entre 1906 e 1910, já que não terei outra oportunidade para isso mais tarde. Já mencionei que Hasenöhrl e seu cuidadosamente concebido curso de quatro anos (cinco horas por semana!) me influenciou mais que qualquer outra coisa. Infelizmente, perdi o último ano (1910-1911), uma vez que não mais podia adiar meu serviço militar. Afinal de contas, isso não foi tão desagradável quanto eu supunha, já que fui mandado para a bela e antiga cidade de Cracóvia e pude passar um memorável verão próximo à fronteira da Caríntia (perto de Malborghet). Além das aulas de Hasenöhrl, assisti a todas as outras aulas de matemática que pude. Gustav Kohn deu as suas sobre geometria projetiva. Seu estilo, tão severo e claro, deixou-me duradoura impressão. Kohn alternou de um método puramente sintético, em um ano – sem quaisquer fórmulas – para um enfoque analítico, no ano seguinte. Não existe, de fato, nenhum exemplo melhor da existência de sistemas axiomáticos. Através dele, a dualidade, em particular, mostrou-se um fenômeno empolgante, diferindo um pouco entre as geometrias bi e tridimensional. Ele também nos provou a profunda influência da teoria dos grupos de Felix Klein sobre o desenvolvimento da matemática. O fato de que a existência de um quarto elemento harmônico tivesse de ser aceita em uma estrutura bidimensional enquanto podia ser facilmente demonstrada em uma tridimensional era para ele a mais simples ilustração do grande teorema de Goedel. Houve tantas coisas que aprendi com Kohn, coisas que eu jamais teria tempo para aprender mais tarde.

Assisti às palestras de Jerusalém sobre Espinosa – uma experiência memorável para quantos o ouviram. Ele discorria sobre tantos assuntos, sobre o ὁθάνατος οὐδέν προς ἡμᾶς ("A morte não é inimiga do homem") e οὐδέν θαυμάζειν ("admirar-se de nada"), de Epicuro, máximas que este sempre tinha em mente ao filosofar.

Em meu primeiro ano, fiz também química analítica qualitativa e certamente ganhei muito com isso. As aulas de Skraup sobre química inorgânica analítica eram bastante boas; já as de química orgânica analítica, que acompanhei durante o verão, eram inferiores, em comparação. Elas poderiam ter sido dez vezes melhores e ainda assim não teriam melhorado minha compreensão acerca de ácidos nucleicos, enzimas, anticorpos e assemelhados. Da forma como eram dadas, eu me sentia muito à frente, guiado pela intuição, o que era, apesar de tudo, produtivo.

Em 31 de julho de 1914, meu pai apareceu em minha sala na Boltzmanngasse para dar a notícia de que eu havia sido convocado. O Predilsattel, em Caríntia, deveria ser meu primeiro destino. Saímos para comprar duas armas, uma pequena e outra grande. Felizmente, nunca tive de usá-las, seja contra homens ou animais e, em 1938, durante uma revista em meu apartamento em Graz, eu as entreguei ao simpático oficial, só por desencargo de consciência.

Umas poucas palavras sobre a guerra: em meu primeiro posto, em Predilsattel, nada ocorreu. Uma vez, em todo caso, tivemos um alarme falso. Nosso oficial-comandante, o capitão Reindl, fez um arranjo com pessoas de confiança para que, no caso de tropas italianas avançarem pelo largo vale em direção ao lago (Raiblersee), nós seríamos avisados por sinais de fumaça. Aconteceu de alguém estar assando batatas ou queimando mato perto da fronteira. Fomos encarregados de monitorar os dois postos de observação e eu fiquei com o da esquerda. Ficamos dez dias lá até que alguém se lembrasse de nos chamar de volta. Lá em cima, aprendi que tábuas de chão (com apenas um saco de dormir e um cobertor) são muito mais confortáveis para dormir que um chão duro. Minha outra observação foi de natureza bem diferente, algo que eu nunca vira e nunca voltaria a ver. Uma noite, a sentinela do turno me acordou para dizer que via algumas luzes que se moviam na colina oposta a nós, claramente vindo em nossa direção. (Incidentalmente, essa parte da montanha (Seekopf) não tinha nenhuma trilha.) Saí de

188 ERWIN SCHRÖDINGER

meu saco de dormir e fui pela passagem que chegava ao posto de observação a fim de ver melhor. A sentinela estava certa a respeito das luzes, mas se tratava de fogos de santelmo no topo de nossas barricadas de arame, a dois metros de nós, e o deslocamento contra o fundo era devido apenas a efeito de paralaxe. Isso se devia ao fato de o próprio observador estar se movendo. Quando à noite saí de nosso espaçoso abrigo subterrâneo, pude ver esses pequenos fogos nas pontas das ervas que cobriam o teto. Foi a única vez que observei o fenômeno.

Depois de muito tempo ocioso ali, fui destacado para Franzenfeste, depois para Krems e, então, para Komorn. Por um curto período, tive de servir no fronte. Reuni-me a uma pequena unidade, primeiro em Gorizia e, depois, em Duíno. Eles estavam equipados com um singular canhão naval. Com o tempo, retiramo-nos para Sistiana, e dali fui mandado para um tedioso mas muito bonito posto de observação perto de Prosecco, 900 pés acima de Trieste, onde tínhamos um canhão ainda mais estranho. Minha futura esposa, Annemarie, veio me ver ali e, em uma ocasião, o príncipe Sixto de Bourbon, irmão da imperatriz Zita, visitou nossa posição. Ele não estava de uniforme e, depois, soube que era nosso inimigo, já que servia no Exército belga. O motivo para isso era que os franceses não permitiam que qualquer membro da família Bourbon servisse em seu Exército. Na época, o propósito dessa visita era o de criar um acordo de paz em separado entre a Áustria-Hungria e a Entente Cordiale, o que, evidentemente, significava alta traição contra a Alemanha. Infelizmente, seu plano nunca se materializou.

Meu primeiro encontro com a teoria de Einstein de 1916 foi em Prosecco. Eu tinha muito tempo disponível, mas ainda assim tinha grande dificuldade para entendê-la. Mesmo assim, algumas notas marginais que então fiz ainda me parecem razoavelmente inteligentes, mesmo hoje. Como regra, Einstein apresentava uma nova teoria de uma forma desnecessariamente complicada, mas nunca tanto como em 1945, quando ele introduziu a assim chamada teoria unitária "assimétrica" do campo. Mas talvez isso não seja característico apenas desse grande homem, pois quase sempre ocorre quando alguém postula uma nova ideia. No caso da teoria mencionada, Pauli lhe disse algumas vezes que era desnecessário introduzir quantidades complexas, porque cada uma de suas equações tensoriais consistia, em uma parte assimétrica e outra perfeitamente simétrica. Só em 1952, em um artigo escrito em conjunto com a senhora B. Kaufman para um volume dedicado ao sexagésimo aniversário de Louis de Broglie, ele concordou com minha muito mais simples versão, ao excluir engenhosamente a assim chamada versão "forte". Esse foi, na verdade, um passo muito importante.

FRAGMENTOS AUTOBIOGRÁFICOS 189

Passei o último ano da guerra como "meteorologista", primeiro em Viena, depois em Villach, depois em Wiener Neustadt e, por fim, em Viena novamente. Isso foi ótimo para mim, pois fui poupado da retirada de nossas desconjuntadas linhas de frente.

Em março/abril de 1920, Annemarie e eu nos casamos. Logo depois, mudamo-nos para Jena, onde conseguimos uma habitação mobiliada. Esperava-se que eu adicionasse um pouco de física teórica recente às aulas do professor Auerbach. Apreciamos muito a cordialidade e amizade dos Auerbachs, que eram judeus, e de meu chefe, Max Wien e sua esposa (eles eram antissemitas por tradição, mas não eram pessoas más). Foi de grande ajuda para mim estar tão bem com eles todos. Em 1933, ouvi dizer que os Auerbachs não encontraram outro meio de escapar da opressão e humilhação promovida por Hitler (*Machtergreifung*) senão o suicídio. Eberhard Buchwald, um jovem físico que havia acabado de perder a esposa, e um casal chamado Eller, com seus dois filhos, figuravam também entre nossos amigos em Jena. A senhora Eller veio ver-me em Alpbach no último verão (1959); uma pobre e solitária mulher, cujos três homens perderam a vida lutando por uma causa na qual não acreditavam.

Uma exposição cronológica da vida de alguém é uma das coisas mais tediosas que consigo imaginar. Esteja você relembrando incidentes de sua própria vida ou da de outra pessoa qualquer, raramente encontrará mais que experiências ocasionais ou observações dignas de nota, mesmo que a ordem histórica dos eventos tenha então lhe parecido importante. Esse é o motivo pelo qual vou lhes dar um pequeno sumário dos períodos de minha vida, para que depois eu possa me referir a eles sem precisar me ater à ordem cronológica.

O primeiro período (1887-1920) termina com meu casamento com Annemarie e a saída da Alemanha. Vou chamá-lo de meu primeiro período vienense. Chamarei o segundo período (1920-1927) de "Meus Primeiros Anos de Nomadismo", já que fui para Jena, Stuttgart, Breslau e finalmente para Zurique (em 1921). Esse período termina com minha convocação para Berlim, como sucessor de Max Planck. Descobri a mecânica ondulatória durante minha estada em Arosa, em 1925. Meu artigo foi publicado em 1926. Com isso, viajei para a América do Norte para dois meses de palestras, uma vez que a proibição para isso já havia felizmente caducado. O terceiro período (1927-1933) foi ótimo. Vou chamá-lo de "Meu Professorado e Aprendizado". Terminou com a tomada do poder por Hitler, a então chamada *Machtergreifung*, em 1933. Enquanto terminava o período de verão daquele ano, eu já estava

190 ERWIN SCHRÖDINGER

ocupado mandando meus pertences para a Suíça. No fim de julho, saí de Berlim para passar as férias no Tirol Sul. Essa região havia se tornado parte da Itália pelo tratado de St. Germain e, assim, estava ainda acessível para nós, com nossos passaportes alemães, enquanto a Áustria já não estava. O grande sucessor do príncipe Bismarck conseguiu impor um bloqueio à Áustria que se tornou conhecido por *Tausendmarksperre*. (Minha esposa, por exemplo, não pôde visitar sua mãe, por ocasião de seu septuagésimo aniversário. As autoridades de Sua Excelência não lhe deram permissão.) Não retornei a Berlim depois do verão. Em vez disso, remeti minha demissão, que permaneceu por muito tempo sem resposta. De fato, eles na época negaram tê-la recebido e, quando souberam que eu havia ganho o prêmio Nobel de física, simplesmente recusaram-se a aceitá-la.

Vou chamar o quarto período (1933-1939) de "Meus Últimos Anos de Nomadismo". Já na primavera de 1933, F. A. Lindemann (que depois seria lorde Cherwell) oferecera-me um "meio de vida" em Oxford. Isso foi na época de sua primeira visita a Berlim, quando eu expressei meu desgosto com a situação de então. Ele fielmente manteve sua palavra. E, assim, minha esposa e eu pegamos a estrada em um pequeno BMW comprado para a ocasião. Deixamos Malcesine e, via Bérgamo, Lecco, St. Gotthard, Zurique e Paris, chegamos a Bruxelas, onde estava acontecendo um Congresso Solvay. Daí, seguimos para Oxford. Não viajamos juntos. Lindemann já havia cumprido os passos necessários para me fazer *fellow* do Magdalen College, e assim recebi a maior parte de meu pagamento via ICI.

Quando, em 1936, recebi ofertas de cadeiras nas universidades de Edimburgo e de Graz, escolhi a última, algo extremamente tolo. Tanto a escolha como o resultado foram sem precedentes, embora o resultado tenha sido feliz. Claro que eu estava mais ou menos visado pelos nazistas, em 1938, mas na época eu já havia aceitado um convite para ir a Dublin, onde De Valera estava para fundar o Instituto de Estudos Avançados. A lealdade com sua própria universidade jamais teria permitido que o professor de Edimburgo E. T. Whittaker, antigo professor de De Valera, me sugerisse para o posto, tivesse eu ido para Edimburgo, em 1936. Max Born teria sido designado e não eu. Dublin mostrou-se cem vezes melhor para mim. Não apenas o trabalho em Edimburgo teria sido um grande fardo, mas também o seria a posição de inimigo estrangeiro dentro da Grã-Bretanha durante a guerra.

Nossa segunda "escapada" nos levou de Graz, via Roma, Genebra e Zurique, para Oxford, onde nossos queridos amigos, os Whiteheads,

FRAGMENTOS AUTOBIOGRÁFICOS   191

nos abrigaram por dois meses. Dessa vez, tivemos de deixar para trás nosso pequeno e eficiente BMW, o "Grauling", pois ele seria muito lento e, além disso, eu já não tinha mais uma licença de motorista. O Instituto em Dublin ainda não estava "no ponto", e assim minha esposa, Hilde, Ruth e eu fomos para a Bélgica, em dezembro de 1938. Primeiro, dei palestras (em alemão!) na Universidade de Ghent, como professor convidado; isso foi para o "Fondation Franqui-Seminar". Depois, ficamos cerca de quatro meses em Lapanne, à beira-mar. Foi um tempo delicioso, apesar das águas-vivas. Foi também a única vez que vi a fosforescência do mar. Em setembro de 1939, o primeiro mês da Segunda Guerra Mundial, fomos para Dublin, via Inglaterra. Com nossos passaportes alemães, ainda éramos inimigos estrangeiros para os ingleses, mas, obviamente graças às cartas de referência de De Valera, nosso trânsito foi garantido. Talvez também Lindemann tenha mexido alguns pauzinhos então, a despeito do bem desagradável encontro que tivéramos no ano anterior. Afinal de contas, ele era um homem muito decente, e estou convencido de que, como conselheiro para assuntos de física, assim como seu amigo Winston, ele se mostrou indispensável para a defesa da Grã-Bretanha durante a guerra.

Vou chamar o quinto período (1939-1956) de "Meu Longo Exílio", mas sem as amargas associações que a palavra suscita, pois foi na verdade um período maravilhoso. De outra forma, eu jamais teria conhecido esta remota e linda ilha. Em nenhum outro lugar poderíamos ter passado pela guerra sem ser tocados pelos nazistas, o que chega a ser vexatório. Não posso imaginar passar dezessete anos em Graz "flutuando", com ou sem os nazistas, com ou sem a guerra. Às vezes, dizíamos baixinho entre nós: "Wir danken's unserem Führer" ("Devemos isso ao nosso Führer").

O sexto período (1956-?) chamarei "Meu Último Período Vienense". Já em 1946, eu havia recebido a oferta de uma cátedra na Áustria, novamente. Quando disse isso a De Valera, ele me aconselhou veementemente contra, argumentando com a instável situação política da Europa Central. Ele estava certo quanto a isso. Mas, embora ele estivesse tão gentilmente disposto a meu respeito, não demonstrou qualquer preocupação acerca do futuro de minha esposa caso alguma coisa me acontecesse. Tudo o que ele dizia era que, com respeito à própria esposa, ele também não sabia o que poderia acontecer. Assim, eu disse às pessoas em Viena que estava inclinado a retornar, mas queria esperar que tudo voltasse ao normal. Disse-lhes que, por causa dos nazistas, fui forçado duas vezes a interromper meu trabalho e reiniciá-lo noutro lugar; uma terceira vez seria o fim de tudo.

Em retrospecto, vejo que minha decisão foi correta. A pobre Áustria fora arrasada e era então um péssimo lugar para viver. Minha petição às autoridades austríacas para que dessem uma pensão a minha esposa como forma de reparação foi inútil, embora eles parecessem dispostos a fazer reparos. A pobreza era muito grande então (e é ainda hoje, em 1960) para permitir concessões a alguns indivíduos e negá-las a quase todos os outros. Assim, fiquei mais dez anos em Dublin, o que se mostrou excelente para mim. Escrevi vários pequenos livros em inglês (publicados pela Cambridge University Press) e continuei meus estudos sobre a teoria geral "assimétrica" da gravitação, que parece ser desapontadora. E por último, mas não menos importante, houve duas cirurgias bem-sucedidas, em 1948 e em 1949, nas quais o doutor Werner retirou cataratas de meus dois olhos. No tempo certo, a Áustria generosamente recolocou-me em minha antiga posição. Também recebi uma nova indicação para a Universidade de Viena (*extra status*), embora em minha idade eu só pudesse pretender dois anos e meio de exercício. Devo tudo isso principalmente a meu amigo Hans Thirring e ao ministro da Educação, doutor Drimmel. Na mesma época, meu colega Robracher teve sucesso em fazer aprovar a lei para o *status* de professor emérito, e assim, deu apoio a meu caso.

É neste ponto que meu sumário cronológico termina. Espero acrescentar aqui e ali umas poucas ideias e detalhes que não sejam muito tediosos. Devo abster-me de esboçar um quadro completo de minha vida, já que não sou um bom contador de histórias. Além disso, eu teria de deixar de fora uma parte muito substancial desse retrato, isto é, o que diz respeito às minhas relações com as mulheres. Antes de tudo, isso fomentaria mexericos; em segundo lugar, dificilmente seria interessante para outros e, por último, mas não menos importante, não acredito que alguém possa ou queira ser verdadeiro nesses assuntos.

Este resumo foi escrito no início deste ano. Agora, dá-me prazer olhá-lo de vez em quando. Mas decidi não continuar – não haveria sentido.

Novembro de 1960
E. S.

SOBRE O LIVRO

Coleção: UNESP/Cambridge
Formato: 14 x 21 cm
Mancha: 24 x 42,5 paicas
Tipologia: Schneidler Light 10/12
Papel: Offset 75 g/m² (miolo)
Cartão Supremo 250 g/m² (capa)
1ª edição: 1997

EQUIPE DE REALIZAÇÃO

Produção Gráfica
Edson Francisco dos Santos (Assistente)

Edição de Texto
Fábio Gonçalves (Assistente Editorial)
Carlos Wagner Fernandes dos Santos (Preparação de Original)
Ana Maria Lisboa Pedrosa,
Luicy Caetano de Oliveira e
Bernadete dos Santos Abreu (Revisão)
Kalima Editores (Atualização ortográfica)

Editoração Eletrônica
Lourdes Guacira da Silva Simonelli (Supervisão)
Celso Carramenha Linck (Edição de Imagens)
Edmilson Gonçalves (Diagramação)

Projeto Visual
Lourdes Guacira da Silva Simonelli